20 Stori Fer:

Cyfrol 1

20 stori fer

gol. EMYR LLYWELYN

cyfrol 1

y Lolfa

Argraffiad cyntaf: 2009
Ail argraffiad: 2011

Comisiynwyd y gyfrol hon gyda chymorth ariannol Adran Plant,
Addysg, Dysgu Gydol Oes a Sgiliau

Cynllun y clawr: Y Lolfa

Rhif Llyfr Rhyngwladol: 978 1 84771 122 9

Cyhoeddwyd, rhwymwyd ac argraffwyd yng Nghymru
gan Y Lolfa Cyf., Talybont, Ceredigion SY24 5HE
gwefan www.ylolfa.com
e-bost ylolfa@ylolfa.com
ffôn 01970 832 304
ffacs 832 782

Cynnwys

CREULONDEB
AC ARSWYD

Y Diafol

Guy de Maupassant

SAFAI'R TYDDYNNWR A'R MEDDYG bob ochr i'r gwely lle'r oedd yr hen wraig yn marw. Roedd hi'n dawel ac yn derbyn ei thynged a'i meddwl yn hollol glir wrth edrych a gwrando arnyn nhw'n siarad. Roedd hi'n mynd i farw, a doedd hi ddim yn ymladd yn erbyn y drefn; roedd ei hamser wedi dod. Roedd hi'n naw deg dau oed.

Llifai haul Gorffennaf drwy'r ffenest a'r drws agored, a thaflu ei fflamau poeth ar y llawr pridd brown, anwastad a oedd wedi ei wasgu i lawr gan sgidiau pedair cenhedlaeth. Deuai aroglau'r caeau i mewn hefyd, wedi eu cludo gan yr awel a'u crasu gan wres canol dydd.

Cododd y meddyg ei lais a dweud, "Honore, allwch chi ddim gadael eich mam â hithau yn y cyflwr yma. Fe all hi farw unrhyw funud."

Atebodd y tyddynnwr yn llawn gofid, "Mae'n rhaid i fi fynd mas i fedi'r ŷd, achos mae e wedi bod ar lawr yn rhy hir yn barod, ac mae'r tywydd yn berffaith i wneud hynny nawr. Beth 'ych chi'n ddweud, Mam?"

Atebodd yr hen wraig oedd yn marw, â'r trachwant Normanaidd am arian yn gryf ynddi o hyd, gan ddweud "Ie" gyda'i llygaid a'i thalcen ac felly annog ei mab i fedi ei ŷd a gadael iddi farw ar ei phen ei hun.

Ond digiodd y meddyg, a tharo'i droed ar y llawr a

9

dweud: "Edrychwch yma, dydych chi ddim gwell nag anifail, a chewch chi ddim gwneud hynny, chi'n deall? Os oes rhaid i chi fynd i fedi eich ŷd heddi, ewch i 'nôl gwraig Rapet a gofyn iddi hi ofalu am eich mam. Rwy'n mynnu eich bod chi'n gwneud, chi'n deall? Ac os na wnewch chi fel rwy'n dweud, fe adawa i chi farw fel ci pan ddaw'ch tro chi i fod yn sâl. Chi'n clywed?"

Dyn tal tenau oedd y tyddynnwr, ac araf iawn ei symudiadau. Roedd mewn cyfyng gyngor poenus – roedd arno ofn y meddyg ac roedd arno awydd ffyrnig i gynilo'i arian. Petrusodd. Gwnaeth symiau yn ei ben a gofynnodd gydag atal dweud,

"F-f-faint mae La Rapet yn godi am wylad hen bobol?"

Gwaeddodd y meddyg, "Sut ydw i'n gwybod? Mae hynny'n dibynnu pa mor hir y bydd arnoch chi ei heisiau hi. Trefnwch y peth gyda hi, er mwyn Duw. Ond rwy i am iddi fod yma mewn awr, chi'n clywed?"

Felly, daeth y dyn i benderfyniad, "Fe a' i i'w nôl hi, peidwch â digio, doctor."

Ac aeth y meddyg ymaith, gan ddweud wrth iddo fynd, "Byddwch yn ofalus, yn ofalus iawn. Fydda i ddim yn cellwair pan fydda i'n ddig."

Cyn gynted ag roedden nhw ar eu pen eu hunain trodd y tyddynnwr at ei fam a dweud mewn llais oedd yn awgrymu mai gorfod gwneud oedd e, "Rwy'n mynd i chwilio am La Rapet, am mai dyna mae'r doctor eisiau. Peidiwch â symud nes bydda i'n dod nôl."

Ac fe aeth yntau allan.

Hen wraig oedd La Rapet a fyddai'n golchi a smwddio dillad, ac yn gofalu am bobl wedi marw ac am bobl oedd ar fin marw yn yr ardal. Yna, cyn gynted ag y byddai hi wedi gwnïo ei chwsmeriaid yn y lliain hwnnw na fydden nhw'n ei ddadwisgo byth, byddai'n mynd 'nôl i'w thŷ i smwddio dillad y byw.

Wyneb crychiog fel afal llynedd oedd ganddi; roedd yn ddrygionus, yn eiddigeddus, ac yn drachwantus eithriadol am arian. Roedd hi wedi plygu yn ei dwbwl, ac edrychai fel pe bai hi wedi torri ei hun yn hanner wrth symud yr haearn swmddio yn ddiddiwedd dros y llieiniau. Doedd hi byth yn siarad am ddim byd ond am bobl roedd hi wedi'u gweld yn marw, am yr holl wahanol fathau o farwolaethau roedd hi wedi eu gweld, a byddai'n adrodd yr hanes bob amser gan roi'r holl fanylion fel y bydd pysgotwr yn disgrifio'n fanwl y lwc a gafodd.

Pan ddaeth Honore Bontemps i mewn i'w bwthyn, roedd hi'n paratoi startsh ar gyfer coleri gwragedd y pentre.

"Noswaith dda," meddai. "Gobeithio'ch bod chi'n cadw'n weddol, Mam Rapet?"

Trodd hi ei phen i edrych arno a dweud, "Weddol, weddol, sut mae pethe gyda chi?"

"O, rwy i'n hunan gystal ag sydd i'w ddisgwyl, ond dyw Mam ddim yn dda."

"Eich mam?"

"Ie, Mam."

"Beth sy'n bod ar eich mam?"

"Mae hi'n mynd i'n gadel ni, dyna beth sy'n bod arni."

Tynnodd yr hen wraig ei dwylo o'r dŵr a gofyn gyda chydymdeimlad sydyn, "Ydy hi mor wael â hynny?"

"Mae'r doctor yn dweud na fydd hi ddim byw tan y bore."

"Yna mae hi'n wael iawn, 'te."

Petrusodd Honore, yna daeth i benderfyniad sydyn,

"Faint ydych chi'n godi i aros gyda hi tan y diwedd? Rydych chi'n gwybod 'mod i ddim yn gyfoethog, ac alla i ddim hyd yn oed fforddio morwyn. Dyna beth sy wedi dod â Mam druan i'r cyflwr yma – gormod o ofid a blinder. Roedd hi'n gwneud gwaith deg o bobl, er ei bod hi'n naw deg dau. Does dim pobol fel 'na i'w cael nawr."

Atebodd La Rapet yn ddifrifol, "Mae dau bris, pedwar deg *sous* y dydd a tri ffranc y nos i bobol gyfoethog, dau ddeg *sous* y dydd a phedwar deg y nos i'r lleill. Fe gewch chi dalu'r dau ddeg a'r pedwar deg."

Ond myfyriodd y tyddynnwr. Roedd yn adnabod ei fam yn dda. Roedd e'n gwybod mor awyddus i fyw, mor wydn a di-ildio oedd hi, ac fe allai hi fyw am wythnos arall er gwaethaf barn y meddyg, felly dywedodd yn benderfynol, "Na, mae'n well gyda fi i chi roi pris i fi nawr, un pris am y cyfan hyd at y diwedd. Fe gymra i'n siawns beth bynnag sy'n digwydd un ffordd neu'r llall. Mae'r doctor yn dweud y bydd hi farw cyn hir. Os bydd hynny'n digwydd, gorau i gyd i chi, gwaetha i gyd i fi, ond os bydd hi byw tan yfory neu fwy na hynny, gorau i gyd i fi, a gwaetha i gyd i chi."

Edrychodd y nyrs yn syn ar y dyn, oherwydd doedd hi erioed wedi trin marwolaeth fel gambl, a phetrusodd, wedi'i themtio gan y posibilrwydd o wneud mwy o arian, ond amheuodd ei fod am chwarae rhyw dric.

"Alla i ddweud dim byd nes bydda i wedi gweld eich mam," atebodd.

"Yna dewch gyda fi i'w gweld hi."

Golchodd hi ei dwylo, ac aeth gydag e ar unwaith.

Ddywedon nhw ddim gair wrth ei gilydd ar y ffordd. Cerddai hi gyda chamau byr cyflym, tra ei fod e'n camu ymlaen gyda'i goesau hir fel pe bai'n croesi nant gyda phob cam. Roedd y gwartheg yn gorwedd yn y caeau, wedi'u llethu gan y gwres, yn codi eu pennau'n drwm a brefu i gyfeiriad y ddau a oedd yn mynd heibio, fel pe baen nhw'n gofyn iddyn nhw am borfa las. Wrth agosáu at y tŷ, sibrydodd Honore Bontemps,

"Beth os bydd popeth ar ben yn barod?" Ac roedd y dymuniad yn ei isymwybod mai fel hynny yr hoffai weld pethau i'w glywed yn ei lais.

Ond doedd yr hen wraig ddim wedi marw. Gorweddai ar ei chefn yn ei gwely gwael â'i dwylo ar y cwrlid cotwm piws, dwylo cnotiog, ofnadwy o denau fel crafangau creaduriaid rhyfedd, fel crancod, wedi eu hanner cau gan grydcymalau, gan ludded, a chan y gwaith oedd hi wedi ei wneud am bron gan mlynedd.

Aeth La Rapet at y gwely, ac edrychodd ar yr hen wraig oedd yn marw. Gwrandawodd ar guriadau'i chalon, tapiodd ei mynwes, gwrandawodd arni'n anadlu, a holodd gwestiynau iddi er mwyn ei chlywed yn siarad. Yna, wedi edrych arni am beth amser, aeth allan o'r ystafell, a dilynodd Honore hi. Ei barn bendant hi oedd na fyddai'r hen wraig fyw ar hyd y nos.

"Wel?" gofynnodd e.

Ac atebodd y nyrs, "Wel, fe allai hi fyw am ddau ddiwrnod, efallai tri. Rhaid i chi roi chwe ffranc i fi am y cwbl."

"Chwe ffranc! Chwe ffranc!" gwaeddodd. "Ydych chi'n gall? Rwy'n dweud wrthoch chi na fydd hi ddim byw mwy na phump neu chwech awr."

Ac fe fu'r ddau'n dadlau'n ffyrnig am amser, ond wrth i'r nyrs sôn am adael, gan ei fod yn gwastraffu amser, a gan fod Honore'n gwybod na fyddai ei ŷd yn dod i glos y fferm ohono'i hunan, fe gytunodd yn y diwedd ar ei thelerau hi.

"Dyna ni, wedi cytuno; chwe ffranc am bopeth, hyd nes bydd y corff yn cael ei gymryd mas."

Ac i ffwrdd ag e gyda'i gamau hir at yr ŷd ar lawr yn yr haul poeth a hwnnw'n aeddfedu'r cnwd. Aeth y nyrs yn ôl i'r tŷ.

Roedd hi wedi dod â pheth gwaith gyda hi, oherwydd gweithiai'n ddibaid wrth ochr y meirw a'r rhai oedd ar fin marw yn gwneud gwaith gwnïo, weithiau iddi hi ei hun, a bryd arall i'r teulu fyddai'n ei chyflogi gan fynnu rhagor o dâl am wneud. Yn sydyn gofynnodd, "Oes offeiriad wedi rhoi'r cymun olaf i chi, Madame Bontemps?"

Siglodd yr hen wraig ei phen i ddweud, "Na", a chododd La Rapet yn gyflym – roedd yn dduwiol iawn.

"Duw mawr, ydy hyn y bosib? Fe a' i i nôl yr offeiriad," ac fe ruthrodd i dŷ'r offeiriad mor gyflym nes bod y plant oedd yn chwarae ar y groesffordd, wrth ei gweld hi'n rhedeg, yn meddwl yn siŵr fod rhyw ddamwain wedi digwydd.

Daeth yr offeiriad ar unwaith yn ei wenwisg, a bachgen o'r côr yn cerdded o'i flaen yn canu cloch fach i gyhoeddi i'r wlad sychboeth dawel fod Duw yn mynd heibio. Tynnodd y dynion a weithiai yn y pellter eu hetiau mawr a sefyll yn ddisymud nes i'r wenwisg fynd o'r golwg tu ôl i adeiladau'r fferm. Cododd y merched oedd yn casglu'r ysgubau ar eu traed er mwyn gwneud arwydd y groes; rhedodd yr ieir duon wedi dychryn ar hyd y clawdd nes dod at dwll cyfarwydd a diflannu'n sydyn drwyddo; dychrynodd ebol bach, oedd wedi ei rwymo mewn cae, wrth weld y wenwisg a dechrau carlamu mewn cylch ar hyd ei raff, a chicio bob nawr ac yn y man.

Cerddai bachgen y côr yn gyflym yn ei bais goch, a'r

offeiriad yn mwmian gweddïau gan blygu ei ben a'r het sgwâr ar ei ben i gyfeiriad un ysgwydd. Tu ôl iddyn nhw roedd La Rapet, wedi'i phlygu'n ddwbwl fel pe bai am ollwng ei hun i'r llawr yn cerdded â'i dwylo ymhlyg fel byddan nhw'n ei wneud yn yr eglwys.

Gwelodd Honore nhw'n mynd yn y pellter a gofyn, "Ble mae'r offeiriad yn mynd?"

Atebodd ei was, oedd yn fwy deallus nag e, "Mae e'n mynd i roi'r cymun ola i dy fam, wrth gwrs."

Doedd y tyddynnwr yn synnu dim.

"Mae hynny'n ddigon posib!" Ac aeth ymlaen â'i waith.

Cyffesodd Madame Bontemps, derbyniodd ollyngdod, cymunodd, ac aeth yr offeiriad i ffwrdd gan adael y ddwy wraig ar eu pennau eu hunain yn y bwthyn myglyd. Dechreuodd La Rapet edrych ar y wraig oedd yn marw a holi ei hunan a fyddai hi byw'n hir eto.

Roedd y dydd yn cilio ac awyr oerach yn dechrau chwythu i mewn gan wneud i'r llun o Epinal, oedd wedi ei hongian ar y wal wrth ddau bin, ysgwyd. Roedd y llenni prin ar y ffenestri, a fu unwaith yn wyn, nawr yn felyn gyda smotiau pryfed drostyn nhw, yn edrych fel pe baen nhw am hedfan i ffwrdd, fel pe baen nhw'n ymdrechu am ryddid fel enaid yr hen wraig.

Gorweddai'r hen wraig yn llonydd â'i llygaid ar agor, fel pe na bai hi'n hidio bod marwolaeth mor agos ac eto'n oedi cyn dod. Roedd ei hanadl byr yn chwibanu'n ei gwddf tyn. Cyn hir byddai'n peidio'n llwyr, a byddai un wraig yn llai ar y ddaear; fyddai neb yn gweld ei heisiau.

Gyda'r nos daeth Honore 'nôl, a phan aeth at y gwely a gweld bod ei fam yn fyw gofynnodd, "Sut 'ych chi?" yn gywir fel y gwnaethai cynt pan oedd hi'n glaf, ac yna anfonodd La Rapet adre gan ddweud, "Bore 'fory, am bump o'r gloch yn ddiffael."

Ac atebodd hithau, "'Fory am bump o'r gloch."

Fe ddaeth La Rapet gyda'r wawr pan oedd Honore yn bwyta'r cawl a wnaethai iddo'i hunan cyn mynd i'w waith. Gofynnodd hi, "Wel, ydy'ch mam wedi marw?"

"Na wir, i'r gwrthwyneb, mae hi 'chydig yn well,"atebodd â golwg gyfrwys yng nghornel ei lygaid. Ac aeth allan.

Aeth La Rapet, yn ofid i gyd, at y wraig oedd yn marw, ac yn dal yn yr un cyflwr o hyd, yn ddifywyd a llonydd â'i llygaid ar agor, a'i dwylo'n cydio'n dynn yn y cwrlid. Sylweddolodd y nyrs y gallai hyn fynd ymlaen am ddau ddiwrnod, pedwar diwrnod, wyth niwrnod, a llanwyd ei meddwl trachwantus ag ofn colli arian, a theimlai'n ddig iawn wrth y dyn cyfrwys oedd wedi ei thwyllo ac at y wraig oedd yn gwrthod marw.

Er hynny, dechreuodd weithio, a disgwyl, gan edrych yn ddyfal ar wyneb crychiog Madame Bontemps. Pan ddaeth Honore i'r tŷ i gael ei frecwast roedd e'n edrych yn fodlon iawn a hyd yn oed mewn hwyl gellweirus. Yn sicr, roedd e'n bendant yn medi ei ŷd mewn amgylchiadau ffafriol iawn.

Roedd La Rapet yn mynd yn fwy cynddeiriog. Roedd hi'n teimlo bod pob munud nawr yn amser ac arian wedi ei ladrata oddi arni. Teimlai awydd gwallgof i afael yn yr hen wraig, yr hen ffŵl penstiff, yr hen greadures styfnig a gwasgu ychydig ar ei gwddf i atal yr anadlu byr, cyflym a oedd yn lladrata ei hamser a'i harian. Yna meddyliodd mor beryglus fyddai gwneud hynny, a daeth syniadau eraill i'w phen. Felly aeth at y gwely a gofyn, "Ydych chi erioed wedi gweld y diafol?"

Sibrydodd Madame Bontemps, "Naddo."

Yna dechreuodd La Rapet siarad ac adrodd straeon a fyddai'n debyg o ddychryn meddwl gwan y wraig oedd yn marw. Dywedodd fod y diafol yn ymddangos i bawb ychydig funudau cyn iddyn nhw farw. Roedd ganddo ysgub yn ei law, crochan ar ei ben, a byddai'n sgrechen yn uchel. Byddai ar ben ar unrhyw un fyddai'n ei weld a dim ond ychydig eiliadau fydden nhw byw wedi hynny. Soniodd am yr holl bobol oedd wedi gweld y diafol y flwyddyn honno, Josephine Loisel, Eulalie Ratier, Sophie Padagnau, Seraphine Grospied.

O'r diwedd gwnaeth hyn i Madame Bontemps gynhyrfu'n lân, gwingo, gwasgu'i dwylo a cheisiodd droi ei phen i edrych i gyfeiriad pen draw'r stafell. Yn sydyn, diflannodd La Rapet o draed y gwely. Tynnodd liain allan o'r cwpwrdd a'i lapio amdani, rhoddodd y crochan haearn am ei phen, fel bod ei dair coes gam yn codi fel cyrn, a chydiodd mewn ysgub â'i llaw dde, ac â'i llaw chwith fwced haearn a'i daflu i fyny'n sydyn er mwyn iddo wneud sŵn clindarddach mawr wrth gwympo ar y llawr.

Wrth ddisgyn gwnaeth y bwced sŵn ofnadwy. Yna, wedi dringo i ben cadair, cododd La Rapet y lliain oedd yn hongian ar waelod y gwely, ac ymddangos a gwneud stumiau a sgrechen yn uchel yn y crochan haearn oedd dros ei hwyneb, tra'n bygwth yr hen wraig ar ei gwely angau â'r ysgub.

Wedi dychryn yn ofnadwy, a chyda golwg wallgof ar ei hwyneb gwnaeth yr hen wraig ymdrech arwrol i godi a dianc; yn wir, llwyddodd i godi ei chorff ychydig oddi ar y gwely; yna syrthiodd yn ôl gydag ochenaid fawr.

Roedd popeth drosodd, ac yn dawel rhoddodd La Rapet bopeth yn ôl yn eu lle; y crochan ar yr aelwyd; y bwced ar y llawr; a'r gadair yn erbyn y wal.

Yna, yn ei ffordd broffesiynol, caeodd lygaid mawr y wraig oedd wedi marw, rhoddodd blat ar y gwely ac arllwys ychydig o ddŵr iddo a rhoi ynddo frigyn o lwyn bocs a oedd wedi ei hoelio wrth y coffor. Penliniodd, ac ailadrodd yn ddefosiynol weddïau dros y meirw, gweddïau roedd hi'n eu gwybod ar ei chof yn rhinwedd ei swydd.

Pan ddaeth Honore yn ôl yn yr hwyr, cafodd hi'n gweddïo, a chyfrifodd ar unwaith ei bod hi wedi ennill ugain *sous* oddi arno, am mai dim ond tri diwrnod ac un noson oedd hi wedi bod yno gan wneud cyfanswm o bum ffranc i gyd, yn lle'r chwe ffranc roedd arno fe iddi hi.

Addasiad Emyr Llywelyn

Cestyll Tywod

Fflur Dafydd

ROEDD HI'N LASACH AC yn ddyfnach y noson honno nag erioed o'r blaen. Ynghanol glesni distaw'r noson ifanc penderfynodd fod yn rhaid iddo fod yno, wrth ymyl y tonnau, lle câi deimlo bloneg y tywod euraid yn dynn am ei draed. Roedd awch grymus ar y tywod hwnnw, awch a brofodd yn gryfach ac yn aeddfetach na'i awch ef am fywyd. Ar amrantiad, roedd glesni'r aer yn disgyn, a'r tywod angen gwaed ifanc ar ei weflau. A chyda hynny, teimlodd ei draed yn suddo.

I ddechrau, roedd yn mwynhau cael ei feddiannu gan bŵer y gronynnau aur. Gwelodd y môr yn ymestyn o'i flaen, yn un grym anfeidrol, anorffenedig ar hyd y gorwel llonydd. Roedd angen dŵr arno, roedd ei geg yn sych. Ac roedd yr holl ddŵr yn y byd yn ddim ond tafliad carreg oddi wrtho. Chwarddodd, distawodd, heb wybod yn iawn pam y chwarddodd yn y lle cyntaf. Surodd y wên yn frathiad yn ei wefus. Roedd y gwylanod yn llefain.

Ar lannau'r bae, yr oedd un neu ddau o lygaid ymbilgar yn hollti trwy'r gwyll ac yn craffu ar y ffigwr ynysig a oedd yn araf ddiflannu yn y tywod. Syllent hwythau arno ef, a syllai yntau ar y môr, gan ddangos dim yn ei wyneb ond am ystumiau creulon y gwynt. Clywodd synau traed yn torri ar hyd y tonnau ysgafn, a tharodd ei lygaid ar bâr ifanc yn camu'n droednoeth ar hyd y lan, ynghlwm wrth wefusau'i gilydd. Dychmygodd y tywod barus yn llamu i fyny ac yn llyncu'r ddau yn union fel yr oedd yn ei lyncu ef. Cywilyddiodd am feddwl hyn, a gwridodd. Daeth y ddau yn nes tuag ato a holi a oedd yn iawn. "Ydw, diolch," meddai, a gwridodd eto, wrth sylweddoli ynfydrwydd yr ateb hwnnw. Roedd hanner ei gorff bellach yn drwch gan dywod mileinig. Chwarddodd y ddau yn nerfus ac aethant ymaith, gan edrych yn eu holau bob hyn a hyn.

Roedd Charlie'n ei fwynhau ei hun. Roedd y tywod, wedi'r cyfan, yn gynnes, yn lân, yn rhyw fath o gysur rhyfedd iddo. Dos i foddi dy hun, Charlie; roedd y geiriau'n powndio yn ei ben. Cofiodd y dicter yn ei llais, y bwriad yn y geiriau creulon. Ac eto, petai hi'n gwenu, yn ei gusanu, byddai mor ddiymadferth a diamddiffyn ag y bu erioed. Na, dyma oedd yr unig ateb, roedd e'n berffaith siŵr o hynny.

Nid oedd gan y bae hwn gydwybod, hyd y gwyddai. Roedd bob amser yn hawlio ac yn mynnu mwy. Bob hyn a hyn buasai rhywun o'r pentref yn diflannu, ac roedd pawb fel petaen nhw'n deall mai'r bae oedd ar fai. Roedd ganddo ryw bŵer anfeidrol na feiddiai neb ei herio. Bob blwyddyn, hudodd ddegau o alarwyr yn eu du i syllu'n hiraethus dros ei gefnfor aur. Roedd yn greulon, yn faleisus, yn llofrudd. Ac eto, ni welodd Charlie olygfa mor swynol, mor berffaith erioed. Roedd y llif disglair fel petai'n fythol symudol, yn lledaenu ar hyd y tir, ymlaen ac yn ôl, ac yn gollwng ei ddiferion eurliw drachefn i'r môr. Ond roedd pethau hardd mor aml yn bethau creulon. Fel hi. Teimlodd y bae'n brathu'n farus ar ei bigyrnau.

Yn ddirybudd, plymiodd gwylan trwy'r düwch. Er cryn gythrudd iddo, glaniodd ar ei ben. Gwrthododd symud.

Ceisiodd ysgwyd ei ben a gafaelodd yr wylan mor dynn ag erioed yng nghudynnau trwchus ei wallt. Dechreuodd sgrechian gan obeithio ei dychryn a sgrechiodd yr wylan yn ôl, yn hy ac yn bwerus. Tawelodd yntau. Tawelodd hithau. Chwarddodd Charlie eto, yn bennaf am ei fod yn gwybod pa mor ynfyd a pha mor wallgo yr edrychai. Roedd y tywod bellach yn dynn am ei wasg, yn ymffurfio'n un gwregys enfawr, euraid am ei ganol. Ond gyda'i ddwylo'n rhydd o hyd, gafaelodd yn dynn am yr wylan a'i hyrddio'n ôl i'r dyfnder glasddu.

Roedd e'n disgwyl, o hyd, amdani hi. Ni ddeuai neb arall ar gyfyl y bae, a hithau mor dywyll. Gwyddai'r trigolion yn iawn pa rannau o'r bae oedd yn beryglus, a pha rannau oedd mor gadarn a disymud â marmor. Roedden nhw wedi cael eu geni'n deall, yn gwybod. Ond weithiau, pan fyddai'r düwch diddiwedd yn drwch, roedd hi'n amhosib dilyn y llwybrau iawn. Os na ddeuai hi, ni ddeuai neb. Ond doedd dim rheswm iddi ddod. Ei syniad hi, wedi'r cyfan, oedd iddo'i foddi ei hun. Ac er nad oedd dim byd gwaeth, yn ei dyb ef, nag anadlu'r bloneg trymaidd, gormesol, a'i deimlo'n lledu ar hyd ei gorff, gwnâi unrhyw beth er ei mwyn. Hyd yn oed hyn. Meddyliodd amdani, yn yr angladd: mae'n debyg y byddai'n edrych mor osgeiddig ag erioed yn ei galar, fel duwies arallfydol yn gollwng dagrau ac ochneidiau dros bob man, hyd nes ennyn cydymdeimlad yr holl le. Un felly oedd hi. Fin nos wedyn, fe'i dychmygodd yn eistedd ar lan y bae, yn chwerthin yn aflywodraethus braf, gan sibrwd ei enw a'i daenu drwy'r aer.

"Charlie."

Roedd e wedi suddo gormod erbyn hyn i allu troi ei ben, ond adwaenai ei llais, fel yr adwaenai bob rhinwedd, pob gwendid, pob asgwrn maleisus ynddi. Ni ddywedodd ddim. Ochneidiodd hithau, fel petai hi'n flin. Fflachiodd dortsh lachar yn ei lygaid, ac ochneidiodd unwaith yn rhagor, fel petai bod yno'n drafferthus, ac yn wastraffus. Roedd hi hefyd yn flin, am fod ei phigyrnau gwynion perffaith wedi'u staenio gan y tywod. Taflodd olwg ofalus o'i chwmpas, ac unwaith iddi sicrhau nad oedd hi, hefyd, yn suddo, edrychodd i fyw ei lygaid.

"Mae'n ddrwg gen i, Charlie."

Rhewodd wyneb Charlie. Doedd y geiriau ddim yn bodoli yng ngeirfa Francesca, yn sicr nid oedd wedi eu clywed o'r blaen. Crafangodd rhyw ofn ansicr yn ei galon, rhyw edifeirwch gwan am yr hyn yr oedd yn ei wneud. Doedd hi ddim yn rhy hwyr i symud wedi'r cyfan; llwyddodd i ymestyn ei fysedd trwy'r llif. Na, roedd e'n ei foddi ei hun drosti a gwrthodai newid ei feddwl. Gwnaeth bopeth drosti, ers pan oedden nhw'n blant. Credodd bob celwydd, ildiodd i bob gêm. Fe'i carodd y tu hwnt i bob rheswm. Rhoddodd ei galon i ferch gythreulig ac fe'i cleisiodd, dro ar ôl tro.

"Do'n i ddim yn meddwl be wedes i, ynglŷn â ti'n boddi dy hun; yr unig reswm dwi'n dy frifo di yw am fy mod i'n dy garu di. Anghofia am y gweddill, ti dwi'n ei garu, neb arall."

Tywynnai ei llygaid duon yn llawn addewid. Roedd hi'n rhyfeddol o ddigynnwrf o feddwl ei fod yntau'n suddo'n raddol i ganol y bae, a bod pob eiliad mor anhygoel o allweddol, fel na bu erioed o'r blaen. Ysai am gredu'r geiriau ond gwyddai na fedrai. Fe'i credodd o'r blaen. Roedd popeth yn dal mor fyw yn ei gof. Ei gweld, trwy'r ffenest, ym mreichiau'i frawd ar bnawn Sul. Roedd hi'n mwynhau'r ffaith ei fod yno, yn gweld, yn profi pob dim.

Cofiodd y wên faleisus wrth iddi'i dadwisgo'i hun, a'i frawd, yn gwybod ei fod yno, yn dyst i bob ystum, pob cyffyrddiad. Yn sydyn, llamodd ychydig ddŵr heibio i'w thraed a'i wlychu yntau. Chwarddodd Francesca. Roedd alaw'r diafol yn y chwerthiniad hwnnw.

"Dos o 'ma, Francesca. Fedra i ddim byw gyda dy greulondeb di rhagor."

Edrychodd arno heb yngan yr un gair. Ni ddywedodd ddim i'w hamddiffyn ei hun. Roedd hi'n mwynhau ei chreulondeb, ei phŵer, gwyddai hynny. Heno, ceisiodd ei gorchfygu, ond a hithau yno, yn gawr o awdurdod uwch ei ben tra ildiai yntau i gerrynt araf y tywod, gwyddai eisoes mai ei buddugoliaeth hi oedd hon.

"Dwi ddim ishe dy golli di, Charlie, dwi'n dy garu di."

Dyna oedd ei harf hi, y tri gair bach a olygai'r byd iddo, ac eto, fe'u clywodd mor aml, daethant i olygu dim iddo mwyach. Oedd, roedd hi'n ei garu, dyna pam yr oedd hi'n ei bryfocio, ei boenydio, ei dwyllo, ei ddefnyddio. Roedd hi fel gwenwyn. Ond roedd blas mor felys ar y gwenwyn hwnnw, fe'i hyfodd dro ar ôl tro. Hyd nes aeth ei holl gorff i wingo. Penliniodd Francesca o'i flaen. Crafangodd y tywod o'i chwmpas a'i adael i lithro'n gawod euraid rhwng ei bysedd. Gwenodd. Yna, cododd unwaith eto, fel petai'r holl weithred yn rhyw sioe ar ei gyfer. Sylweddolodd Charlie na wnaeth unrhyw un iddo deimlo mor ddiwerth o'r blaen. Roedd e eisiau dweud hyn yn uchel. Ond doedd dim pwynt. Doedd dim byd yn gallu ei brifo hi. Breuddwydiai yn aml am ei llofruddio, ac efallai yn wir y buasai wedi gwneud, petai e ddim yn ofni methu yn hynny hefyd. Fe'i dychmygai yn rhwygo'r gyllell o'i chalon a'i thaflu'n ôl ato, gan chwerthin.

"Charlie, wyt ti'n gwrando arna i?"

"Na," meddai, gan deimlo ei ysgwyddau'n araf roi dan bwysau'r tywod.

"Dwi wedi galw'r heddlu a'r frigad dân, felly 'sdim pwynt i ti feddwl bo ti'n mynd i lwyddo, Charlie. Byddan nhw 'ma unrhyw eiliad, ac alli di ddim gorfodi dy hun i lawr."

Gwych, meddyliodd. Dyna'n union oedd ei angen arno. Degau o ddynion cyhyrog yn chwerthin am ei ben. Roedd e'n hollol siŵr nad gofid oedd y tu ôl i'r weithred. Na, yr ysfa i wneud sioe ohono, i'w ddinoethi'n llwyr, ei ddangos fel yr unig ddyn erioed i fethu â boddi ei hun yn y bae. Wel, dyna ni felly, roedd y cyfan drosodd. Edrychodd allan ar y tywod a gweld yr holl fyd yn troelli mewn tywyllwch. Roedd arno gymaint o eisiau diflannu dan drymder y tywod, yn fwy nag yr oedd wedi bod eisiau unrhyw beth ar hyd ei fywyd.

"Charlie," treuliodd ei llais i ffwrdd. "Mae gen i rywbeth i'w ddweud, rhywbeth pwysig, y rheswm y dois i yma... y rheswm na alla i adael i ti farw..."

Bellach dim ond ei ben oedd yn y golwg. Roedd wyneb yn wyneb â'i phigyrnau. Chwarddodd Francesca wrth weld hyn, a phenliniodd drachefn.

"Edrych, Charlie."

Cododd ei siwmper uwch ei phen a'i diosg. Oddi tani, yr oedd yn gwisgo ffrog denau, dynn, o liw'r awyr. Ni sylweddolodd i ddechrau. Yn hytrach fe wawriodd arno'n araf, araf, fel y gwir yn cronni mewn cof. Ychydig fodfeddi islaw'i bronnau, roedd ei chnawd yn ymchwydd distaw o dan ei dillad. Roedd amser wedi peidio, yr aer yn tynhau yn ei ysgyfaint, ei lygaid yn bell.

Rhoddodd ei dwylo ar ei bol, a'i anwesu. "Dy blentyn di, Charlie," sibrydodd.

Doedd e ddim yn hoffi hyn. Roedd popeth wedi newid yn rhy sydyn, yn ddirybudd. Bellach teimlai'r tywod yn ormesol o'i gwmpas, wrth iddo ei lyncu'n araf i'w grombil. Ceisiodd symud, ond llithrodd ymhellach i lawr. Ceisiodd ddweud rhywbeth, ceisiodd fynegi'r teimladau o falchder, o ofid, o gariad a oedd oll yn lledu ar hyd ei gorff, ond ni ddaeth dim o'i enau. Gwyddai nawr fod yn rhaid iddo ddianc oddi yno. Rhoddodd ebychiad wrth i'r tywod ymgasglu o gwmpas ei ên. Teimlodd filoedd o grafangau aur yn cau am ei gorff. Galwodd ei henw. Roedd arno ei hangen, yn fwy nag erioed o'r blaen.

Gwelodd Francesca ei ofid, a gafaelodd yn dynn yn ei ben, i'w rwystro rhag llithro ymhellach. O leia, dyna a gredai ef. Gwenodd arno, cyn defnyddio pob cyhyr yn ei chorff i'w wthio i lawr, i lawr ac i lawr, hyd nes nad oedd dim ond corun ei ben i'w weld, yn diflannu o dan y tonnau euraid.

Roedd wyneb y bae yn llonydd, yn berffaith ddisymud. Cododd Francesca oddi ar ei gliniau. Yn gyntaf, estynnodd ei dwylo o dan ei ffrog a thynnu'r darn ysgafn o ddefnydd oddi yno. Mewn un cam rhwydd yr oedd wedi adennill ei ffigwr perffaith. Chwarddodd yn hir. Gwnaeth iddo gredu, hyd ddiwedd ei fywyd, fod arno ei hangen. Rhwbiodd ei dwylo at ei gilydd yn foddhaus, fel un wedi cwblhau diwrnod caled o waith. Cofiodd fod yn rhaid iddi alw'r frigad dân a'r heddlu. Peth mor rhwydd fyddai adrodd ei stori ddagreuol iddynt, gan esbonio, pan gyrhaeddent, eu bod, er mawr torcalon a phryder iddi, yn rhy hwyr.

Y funud honno, holltodd llaw trwy'r tywod a chydio'n dynn am ei phigwrn. Ac oedd, roedd hi'n llawer rhy hwyr.

Y Gwir am Gelwydd, Urdd Gobaith Cymru

Ci Du

Mihangel Morgan

I DDECHRAU, DIM OND sŵn bach anhyglyw oedd e. Rhyw dinc aneglur yng ngrombil y fatras. Dim byd i sylwi arno. Clywsai Tim y sŵn un bore Llun. Roedd e wedi deffro gan feddwl ei fod wedi gorgysgu ond ar ôl iddo edrych ar ei oriawr a gweld nad oedd hi ddim yn saith eto arosasai yn y gwely ar ddihun am dipyn. Ac yna fe glywodd y sŵn. Wnaeth e ddim cynhyrfu y tro cyntaf hwnnw. Cododd ac aeth i lawr i'r gegin a berwi wy i frecwast. Rhoes laeth mewn soser ar gyfer ei gi, Mostyn. Darllenodd y papur yn frysiog. Aeth i ymolchi ac eillio, a chyn iddo fynd i'r ffatri aeth â Mostyn am dro bach. Bore digon cyffredin.

Y bore hwnnw cerddodd i'w waith yn y dre fel arfer. Roedd pawb yn y ffatri yn eu lleoedd arferol. Cyfarchodd Miss Bowen ef gyda'i gwên beintiedig pan aeth Tim heibio i ddrws ei swyddfa hi. Edrychai'i gwallt fel madarch atomig ar ei phen.

"Bore da, Mr Roberts," galwodd ar ei ôl. Ddywedodd Tim ddim byd. Roedd awgrym o ddyhyfod yn ei chyfarchiad bob tro a chodai ofn arno.

Cymerodd Tim ei le o flaen y gwregys-gludo a'i afon ddi-baid o drugareddau peiriannol. Rhwng ei waith diddychymyg a pharabl hurt Martin gyda'i jôcs rhagbaratoëdig gallai'r diwrnod fod yn llethol, ond ar ôl gweithio yn yr un sefyllfa am naw mlynedd roedd e wedi dysgu sut i gau'i glustiau i'w gyd-weithiwr a chau ei feddwl ar ei orchwyl diflas. Aethai'i symudiadau'i hun yn beiriannol hyd yn oed. Codai'r teclynnau o'r gwregys a dodi'r pethau crwn – yr oedd pentwr ohonynt o'i flaen – ar y teclyn, a dodi'r teclyn yn ôl ar y gwregys a chymryd un arall a gwneud yr un peth eto, ac yn y blaen fel yna tan bump o'r gloch, ar wahân i egwyl yn y bore am un ar ddeg, yr awr ginio wedyn, ac egwyl arall am goffi am dri y prynhawn. Wrth iddo weithio edrychai Tim ymlaen at bob un egwyl gan gyfri'r oriau a'r munudau rhyngddynt.

Roedd sŵn y ffatri'n ddychrynllyd. Y peiriannau aflonydd yn canu grwndi ac yn ysgyrnygu'n barhaus, fel anifeiliaid annwfn.

Roedd Mostyn yn falch iawn o weld ei feistr ac yn barod i fynd am dro – doedd e ddim wedi bod allan ers y bore. Felly, cyn mynd i eistedd i ymlacio ar ôl ei ddiwrnod gwaith, aeth Tim a Mostyn i'r comin am hanner awr. Doedd neb yno.

Wrth iddynt ddod yn ôl i'r tŷ cyfarthodd Mostyn fel petai wedi clywed rhyw sŵn. Aeth Tim i edrych ym mhob stafell ond doedd dim byd i'w weld o'i le.

Eisteddodd Tim o flaen y teledu gyda Mostyn wrth ei draed am weddill y noson.

* * *

Y bore canlynol, pan ddihunodd Tim, clywodd y sŵn yn y gwely eto. Roedd yn gliriach ac yn fwy cyson y tro hwn.

Aeth Tim i lawr i'r gegin. Roedd Mostyn yn falch o'i weld ac am ryw reswm roedd Tim hyd yn oed yn falchach nag arfer o weld Mostyn. Roedd e'n hoff iawn o'r hen gi, ond y bore hwnnw pan ddaeth Tim i lawr y grisiau daethai syniad arswydus i'w feddwl. Beth petai Mostyn wedi marw yn ystod y nos? Mostyn oedd ei unig gwmni dros y penwythnosau hirion a'r nosweithiau maith. A phan ddeuai Tim yn ôl ar ôl iddo fod wrth ei waith yn y ffatri drwy'r dydd byddai Mostyn yno'n aros i'w groesawu'n deyrngar. Doedd yr hen gi ddim yn poeni am ei wendidau nac am ei ddiffyg hyder – iddo ef roedd Tim yn deulu ac yn dduw.

Edrychodd Tim ym myw llygaid y ci – ac am y tro cyntaf gwelodd eu bod yn pylu a bod haenen o flith yn eu harlliwio. Roedd Mostyn yn heneiddio, roedd e'n un ar ddeg bellach.

Mae'n dal i fod yn anifail heini, meddyliai Tim. "Dere, Mostyn, fe awn ni am dro i'r parc y bore 'ma."

Siglodd y ci ei gwt mewn llawenydd.

Taflai Tim bêl i Mostyn ond roedd e'n drist o weld pa mor araf roedd y ci wedi mynd. Yn ei ieuenctid doedd dim blino arno. Rhedodd Tim gan annog y ci i redeg ar ei ôl ond buan y collai Mostyn bob diddordeb.

Gwelodd Tim bobl yn y parc. Hen bobl gyda hen gŵn a phobl ifainc gyda chŵn ifainc. Gwnaeth Tim ei orau glas i'w hosgoi nhw i gyd. Doedd e ddim eisiau siarad â neb; weithiau ni allai wynebu pobl.

Yna, o nunlle, ymddangosodd ci mawr du. Teimlai Tim yn ofnus. Roedd y ci hwn yn hyll – fel pechod. Roedd ei glustiau'n fach ac yn bigog a'i gwt fel gwialen. Roedd e'n ddu i gyd fel cysgod angau ar wahân i'w ddannedd a oedd yn ysgithredd disgleirwyn. Roedd ei lygaid yn fychain ac yn dreiddgar ac yn goch fel cols. Roedd ei dafod a'i safn yn goch hefyd. Ac yn gwthio'n ddigywilydd o fuchudd ei fola fel llafn gwaedlyd roedd ei bidyn coch.

Safodd y tri ohonynt am eiliad i edrych ar ei gilydd. Roedd Mostyn yn crynu gan ofn – fel ci ifanc buasai wedi herio hwn – ond yn awr symudodd i guddio y tu ôl i'w feistr. Ar hynny bolltodd y ci du tuag ato'n chwyrn yn ymgnawdoliad o ffyrnigrwydd. Llipryn o ysglyfaeth diymadferth oedd Mostyn. Cododd Tim ddarn mawr o bren, boncyff yn wir, a churo'r ci du ar ei gefn nes iddo ollwng ei afael ar glust Mostyn. Yna rhoes y ci du edrychiad beiddgar ar Tim ac ysgyrnygu dan ei wynt, fel petai. Yna aeth i ffwrdd yn gwbl hunanfeddiannol.

Aeth Tim a Mostyn yn ôl i'r tŷ i drin ei friwiau. Roedd yr hen gi mewn cyflwr truenus. Golchodd Tim y brathiadau – rhai ohonynt yn ddwfn iawn – yn ofalus. Rhoes ennaint arnynt er gwaetha'r protestiadau truenus. Wedyn bu'n rhaid i Tim ei adael a mynd i'w waith.

Pan gyrhaeddodd y ffatri edrychodd ei gyd-weithwyr arno'n syn. Roedd e'n hwyr ac yntau mor brydlon fel arfer. Daeth Mr Gosling ato i ddweud y drefn wrtho. Ceisiodd Tim esbonio ond doedd dim yn tycio.

"Ydi popeth yn iawn, Mr Roberts?" sibrydodd Miss Bowen, ac er nad oedd yn hoff iawn ohoni teimlai Tim y gallai agor ei becyn gofidiau iddi y tro hwn.

"Cafodd Mostyn, 'y nghi, ei gnoi gan gi arall."

"Druan ohono. Sut ma fe?"

"Glawd mae arna i ofon. Ma fe'n mynd yn hen, t'wel."

"Fel pob un ohonon ni, ontefe Mr Roberts, gwaetha'r modd."

Doedd hi ddim yn deall. Roedd Mostyn yn mynd yn hen yn gyflymach na phobl. Dim ond un ar ddeg oedd Mostyn ond roedd e'n hen iawn yn barod. Roedd y syniad o fywyd heb y ci yn annioddefol. Ni allai'r un ci arall gymryd lle

Mostyn. A phan welsai'r ci du y bore hwnnw fe'i gwelsai drwy lygaid ei hen gi, ac anobeithio. Fe'i gwelsai fel anghenfil cryf, fel cennad marwolaeth.

Y noson honno eisteddai Tim o flaen y teledu, ond yn lle gwylio'r rhaglenni syllai ar y ci wrth ei draed.

* * *

Gallasai Tim fod wedi tyngu llw iddo glywed geiriau yn sŵn y gwely fore trannoeth. Ond fe boenai ormod am Mostyn i feddwl am ddim byd arall. Y peth mwyaf pwysig oedd cadw Mostyn yn heini.

Cafodd Tim a'r ci eu brecwast ar garlam cyn mynd i'r parc. Roedd Tim yn barod am yr anghenfil du y tro hwn. Cariai ffon braff rhag ofn ei gyfarfod eto. Ofnai adael Mostyn yn rhydd. Roedd y parc yn llawn bygythiad a'r byd yn lle digalon ac unig i Tim a Mostyn.

Edrychai Mostyn lan i wyneb ei feistr. Yn ei lygaid pŵl yr oedd arlliw o oleuni o hyd, goleuni a oedd yn arwydd o'i ewyllys i fyw. Teimlai Tim ei bod yn rhaid iddo'i ryddhau o'r clymyn am dipyn neu fyddai'r tro yn y parc yn werth dim iddo. Roedd yn rhaid i Mostyn gael ei ymarfer corff fel y dynion busnes canol oed a oedd yn loncian o gwmpas y llyn gan obeithio estyn einioes.

Ymateb Mostyn i'w ryddhau oedd siglo'i gwt a rhedeg yn ei flaen am dipyn, ac wedyn diffygio. Pan oedd e'n gi ifanc, cofiai Tim, buasai wedi rhedeg fel bollt i bob cyfeiriad a buasai'n anodd ei ddal wedyn. Serch hynny, roedd Tim yn hapus i weld tipyn o sioncrwydd yn yr hen gi o hyd.

Cerddodd Tim drwy'r gerddi cyhoeddus gyda Mostyn yn ei ddilyn yn hamddenol ac yn rhedeg o'i flaen yn dalog bob yn ail. Doedd neb o gwmpas ond ni theimlai Tim yn unig gyda'i gyfaill ffyddlon. Roedd hi'n fore braf hefyd.

Rhuthrodd y ci du o rywle y funud nad oedd Tim yn disgwyl amdano. Roedd e'n cyfarth yn ffyrnig ond y tro hwn cadwai rywfaint o bellter.

Galwodd Tim ar Mostyn a rhoi'r clymyn arno. Cadwodd Tim ei ben er bod Mostyn wedi dychryn am ei fywyd. Cymerodd Tim arno nad oedd e'n ofni'r ellyll o gwbl gan gerdded heibio iddo'n ddifater er gwaetha'r rhegfeydd a'r bygythiadau danheddog. Roedd yn hen bryd iddynt adael y parc beth bynnag, ac adre â nhw.

Pan aeth Tim i mewn i'r ffatri syllodd ei gyd-weithwyr arno. Doedd e ddim wedi eillio nac ymolchi na chribo'i wallt hyd yn oed.

* * *

Dydd Iau, ac roedd Tim yn siŵr fod y sŵn yn gliriach yn y gwely ac yn debyg i lais. Ac ar ben hynny teimlai fod y llais yn ceisio dweud rhywbeth wrtho.

Bu Mostyn yn dost yn y nos. Effaith ei friwiau, tybiai Tim.

"Fe awn ni am dro ar ôl i ti fwyta dy fwyd. Ond awn ni ddim i'r parc heddi, rhag ofn i ti weld dy elyn 'to."

Aethant i'r comin. Roedd y lle'n frwnt iawn, ysbwriel ym mhobman, hen bapurau ar wasgar, gwynt ofnadwy yn codi o'r pridd. Roedd Mostyn wrth ei fodd.

Chwap! Ymddangosodd y ci du. Roedd e'n sefyll ar fryncyn. Cysgod oedd e, ar wahân i'w ddannedd gloyw a oedd fel pe baent yn gwenu'n wawdlyd. Yn ddiymdroi rhoes Tim glymyn Mostyn am ei wddf, ac i ffwrdd â nhw ill dau heb droi i edrych ar y cythraul.

Yn y ffatri y diwrnod hwnnw ni allai Tim ganolbwyntio ar ei waith. Teimlai fel tagu Martin a'i storïau twp. Roedd

Miss Bowen yn gwisgo ffrog goch a phob tro y gwelai Tim hi deuai tipyn o bendro drosto.

Meddyliai am Mostyn. Teimlai'n euog iddo'i adael drwy'r dydd. Doedd hi ddim yn addas i ddyn â chi a weithiai drwy'r dydd gael ci. Roedd e wedi gorfodi'i gi i dreulio'r rhan fwyaf o'i oes ar ei ben ei hun mewn tŷ gwag, fel carcharor. Anghofiasai Tim ei fywyd unig, undonog cyn iddo gael Mostyn. Unigrwydd wedi'i atalnodi gyda chyfres o garwriaethau byr.

* * *

Bore dydd Gwener. Llais oedd y sŵn ac roedd e'n dweud rhywbeth, yn bendant. Nid yr un peth drosodd a throsodd ond llifeiriant o eiriau blith draphlith ac roedd e'n siŵr ei fod e'n clywed ei enw ei hun, Tim, o bryd i'w gilydd.

Pan aeth i lawr i'r gegin cododd Mostyn o'i wely yn araf, yn anystwyth iawn. Roedd yr henaint yn lledaenu i'w esgyrn.

Cyn mynd i'r ffatri aeth Tim a Mostyn i'r coed ar bwys yr eglwys. Heb iddynt fod yno'n hir gwelodd Tim gysgod yn dod tuag atynt a gwên faleisus a llygaid cochion gwenwynig. Roedd y ci du fel petai'n gwybod i ble'r aent, yn darllen eu meddyliau, yn achub y blaen arnynt bob tro. Aeth Tim a Mostyn yn ôl i'r tŷ yn syth. Er i'r ci du gadw draw y tro hwn roedd e'n fwy bygythiol nag arfer hyd yn oed.

"Mae'r diawl ymhobman," meddai Tim. Roedd Mostyn yn falch o ddod yn ôl i'r tŷ. Roedd e wedi blino ar ôl y tro byr hyd yn oed.

"Fe awn ni i rywle arbennig yfory," meddai Tim wrth y ci.

A'r bore hwnnw penderfynodd Tim na allai ddioddef

y ffatri a'i gyd-weithwyr am ddiwrnod arall. Roedd hi'n bwysicach iddo ofalu am Mostyn yn ei flynyddoedd olaf. Dyna'r unig ffordd y gallai Tim ei wobrwyo am ei ffyddlondeb a'i gariad.

Aeth Tim i weld Mr Gosling a dweud wrtho'n ffurfiol ei fod am roi'r gorau i'w swydd y diwrnod hwnnw a'i fod am adael yn syth ar ôl iddo hel ei bethau at ei gilydd.

"Mae hyn braidd yn ddirybudd," meddai Mr Gosling ac eto nid oedd deigryn i'w weld yn ei lygaid.

Ni theimlai Tim yn drist chwaith. I'r gwrthwyneb, teimlai ryw ollyngdod mawr – o hyn ymlaen gallai dreulio pob awr gyda'i gi.

Ni chanodd yn iach i Martin na Miss Bowen.

Y noson honno rhannodd Tim a Mostyn bryd o fwyd Tsieineaidd.

* * *

"Tim! Tim!" meddai'r llais yn y gwely. "Tim, mae'n hen bryd i ti godi. Mi wn ei bod hi'n ddydd Sadwrn a dy fod ti wedi rhoi'r gorau i dy waith yn gyfan gwbl – peth gwirion, byrbwyll i'w wneud – ond rhaid i ti godi ar unwaith, does gen ti ddim hawl i ymlacio." Neidiodd Tim o'r gwely. Tynnodd y dillad i gyd oddi ar y gwely. Pwniodd y gobennydd a'r fatras gan feddwl fod rhyw bryf wedi mynd i mewn iddynt. Edrychodd o dan y gwely ond doedd dim byd yno ond llwch.

Aeth i lawr i'r gegin i gael bwyd ac i roi bwyd i Mostyn. Wedyn dododd y gobennydd a dillad y gwely i gyd mewn bag mawr ac aeth â nhw a Mostyn i'r golchdy. Peth nas gwnaethai ers misoedd.

Dododd y cyfan i mewn yn un o'r peiriannau ac eistedd i'w gwylio nhw'n troi. Roedd Mostyn wrth ei draed.

Yna edrychodd Tim drwy'r ffenestr ar y stryd. Pobl yn siopa, ceir, plant, cŵn. Rhai gyda'u perchenogion a rhai'n crwydro'n rhydd rhwng coesau'r bobl.

Gwelodd y ci du yn croesi'r heol gan anwybyddu'r ceir ac yn dod at ffenestr y golchdy. Syllodd drwy'r gwydr i wynebu Tim. Roedd ei anadl yn cymylu'r ffenestr, ei dafod yn slobran a glafoerion yn diferu ar y pafin. Gan gadw'i lygaid ar y ci du trosglwyddodd Tim y dillad o'r peiriant golchi i'r peiriant sychu. Nid oedd Tim yn awyddus i wynebu'r ci du mewn stryd brysur.

Yna edychodd i lawr ar Mostyn a sylweddoli ei fod yn dost ac wedi llewygu.

Yn y man roedd y dillad yn barod, felly rhoes Tim y cyfan yn ei fag yn bentwr pendramwnwgl. Edrychodd rhai o'r menywod yn y golchdy'n ddirmygus arno.

Ni allai Mostyn sefyll. Cododd Tim ef a'i gario dan ei gesail. Pan aeth allan i'r stryd roedd y ci du wedi cilio i'r ochr arall, ond daliai Tim i'w wylio.

Pan gyrhaeddodd Tim y tŷ taflodd y bag dillad i'r naill du ac, yn ofalus, rhoes Mostyn yn ei wely.

Roedd hi'n rhy hwyr i alw'r milfeddyg.

* * *

Dihunodd Tim mewn cadair freichiau. Nid oedd wedi bod i'r gwely. Ar ôl iddo sylweddoli bod Mostyn wedi marw, aeth i'r gadair i lefain nes iddo gysgu. Bellach roedd hi'n hanner awr wedi un ar ddeg fore Sul. Roedd e'n gorfod codi a mynd ymlaen â'i fywyd. Roedd e'n gorfod cyweirio'r gwely gyda'r dillad glân. Gwnaeth hynny.

Ac roedd e'n gorfod gwneud rhywbeth â chorff ei annwyl gi. Felly fe'i claddodd yn y pwt o ardd wyllt y tu cefn i'r tŷ.

Roedd e wedi colli'i waith er mwyn gofalu am Mostyn. Yn awr roedd hwnnw'n farw a doedd dim byd arall i'w wneud ond mynd i'r gwely eto.

Roedd hi'n dawel, dim sŵn, dim llais yn y fatras. Roedd Tim wedi cael gwared ag ef a theimlai'n faich.

Ond pan aeth i'r gegin i baratoi ei frecwast cofiodd yn syth ei fod ar ei ben ei hun. Dim croeso, dim tro i'r parc. Dim Mostyn. Ac wrth gwrs doedd ganddo ddim ffatri i fynd iddi chwaith. Roedd e'n ddigalon. Doedd ganddo ddim byd i'w wneud, dim byd i lenwi ei fywyd, dim i gymryd lle Mostyn. Ni allai Tim ddioddef bod yn y tŷ ar ei ben ei hun, felly aeth i'r coed ar bwys yr eglwys am dro i fod yn yr awyr agored.

Eisteddodd ar un o'r meinciau gan geisio anghofio Mostyn. Roedd y fainc yn wlyb ac roedd hi'n oer a gwynt main yn chwipio o amgylch ei glustiau a'i ysgwyddau.

Edrychodd Tim ar bob llanc a dyn a âi heibio gan geisio dychmygu'u bywydau nhw. A oedd yr un ohonynt mor unig ag ef? A oedd rhywun arall yn y byd mor unig? Dim perthynas, dim teulu, dim ffrindiau a dim gobaith o wneud ffrindiau. Teimlai Tim ei fod wedi methu yn y pethau pwysicaf, ond cawsai'r hyn a ddeuai mor hawdd i bobl eraill yn drybeilig o anodd, yn amhosibl, yn wir.

Tra eisteddai Tim fel hyn daeth y ci du o'r tu ôl i'r eglwys. Roedd e'n wahanol rywsut. Nid oedd ei lygaid yn goch eithr yn winau fel cnau ac arlliw o dristwch ynddynt. Hongiai'i gynffon yn llipa, ei safn ar gau. Ond teimlai Tim yn ddig wrtho.

"Cer o 'ma'r cythraul!"

Ond symudodd y ci ddim. Daeth pelydryn o haul ac yn

y goleuni newydd nid oedd blew'r ci mor ddychrynllyd o dywyll.

Cododd Tim ac aeth yn ôl i'w gartref yn benisel.

* * *

Pan ddihunodd Tim eto yn ei wely cynnes tawel teimlai'n ysgafnach ei ysbryd. Roedd syniad newydd wedi dod iddo fel gweledigaeth yn ei gwsg.

Petasai Mostyn wedi gweld y ci du ddoe efallai y buasai wedi bod yn barotach i ddod yn ffrindiau gydag e. Beth bynnag, roedd Tim yn siŵr nad oedd Mostyn am iddo fod yn unig. Roedd Mostyn wedi cwrdd â'r ci du, wedi'r cyfan – buasai hwnnw'n well na chi dieithr.

Aeth Tim i siopa i gael cig. Gwelodd Miss Bowen.

"Tim! Sut mae pethau?"

"Iawn. Sut y'ch chi?"

"'Niwrnod bant i heddi. Ble ma'ch ci?"

"Ma fe wedi marw."

"Ow, mae'n flin 'da fi. Siŵr bo chi'n gweld 'i eisie fe, 'wy'n cofio mor ffond o fe o'ch chi."

"Gadewes i'r ffatri er mwyn edrych ar ôl Mostyn."

"Wel, nawr 'te Tim. Os chi'n mo'yn dod 'nôl, falle gallwn i gael gair 'da Mr Gosling."

"Dim diolch. Smo fi'n bwriadu mynd 'nôl i'r ffatri 'na. Bore da, Miss Bowen."

Aeth Tim yn ôl i'r tŷ i goginio'r cig moch roedd e wedi'i brynu. Ac wedyn bant ag ef tua'r eglwys gyda'r cig a chlymyn Mostyn. Aeth i eistedd ar y fainc lle gwelsai'r ci du. A chyn hir dyma fe'n dod. Yn bendant roedd e wedi newid. Roedd e'n sioncach, yn fwy cyfeillgar. Estynnodd Tim y cig iddo. Porthodd y ci du'n awchus gan siglo'i gwt yn siriol. Yn gyfrwys, rhoes Tim y clymyn am ei wddf. Dim gwrthwynebiad o gwbl!

"Dere 'te," meddai Tim ar ôl i'r ci orffen ei saig. Siglodd ei gwt a cherdded yn dalog wrth ochr Tim, fel hen ffrind. Yn y tŷ aeth y ci o gwmpas i wynto popeth â chwilfrydedd. Yna aeth i eistedd yng ngwely Mostyn fel brenin.

"Fyddi di fawr o dro yn setlo," meddai Tim, a deimlai'n hapus iawn.

Trwy'r dydd bu'r ci'n lân ac yn dawel. Roedd Tim wedi penderfynu ei gadw fe. Cyn mynd i'r gwely gadawodd Tim ddrws cefn y tŷ ar agor rhag ofn i'r ci benderfynu dianc, neu os oedd angen iddo fynd i'r ardd i wlychu. Doedd Tim ddim yn siŵr a oedd y ci wedi penderfynu aros neu beidio eto. Doedd dim perygl gadael y drws yn agored, doedd neb yn debygol o gael croeso i'r tŷ gyda'r ci du beth bynnag.

"Nos da," meddai Tim, "rhaid i mi feddwl am enw i ti yfory, os wyt ti 'ma."

Siglodd y ci ei gwt ac roedd Tim yn siŵr ei fod yn gwenu.

* * *

"Rwyt ti wedi gadael pethau'n rhy hwyr rhy hwyr Tim does dim gobaith i ti ti'n fethiant Tim ymhob ystyr yn fethiant llwyr weithiau fe fyddi di'n meddwl fod pawb yn d'erbyn di pawb yn dy gasáu pawb am dy waed di pawb â'i gyllell yn dy gefn di ond does neb yn meddwl amdanat ti o gwbl neb ond y fi neb yn meddwl amdanat ti neb yn meddwl amdanat ti neb neb neb dim ond fi..."

Peidiodd y llais wrth i Tim agor ei lygaid. Roedd e wedi deffro'n fore, roedd hi'n dal yn dywyll. Teimlodd rywbeth ar y gwely. Roedd y ci du wedi dod lan i gysgu ar y gwely.

Yn gysglyd o hyd, estynnodd Tim ei law i fwytho'r ci, a theimlodd rywbeth gwlyb.

Cynheuodd y golau. Nid y ci du oedd dan ei law ond pen Mostyn – pen marw Mostyn yn waed ac yn bridd ac yn gynrhon i gyd.

Wrth erchwyn y gwely safai'r ci du. Edrychodd Tim i ddyfnderoedd y llygaid bach coch. Ac yna fe glywodd y llais unwaith eto.

Cathod a Chŵn, Y Lolfa

Y Mochyn Hir

Dyfed Glyn Jones

'8983… 8983.' RHAID COFIO rhif y car, 8983. Digon hawdd cofio'r math o gar – Rolls Royce mawr llwyd, ond cyn i'r mwgwd gael ei roi dros ei ben roedd Sam hefyd wedi cael cip ar y rhif ar y cefn… 8983. Cliw gwerthfawr? Tybed? Mewn tywyllwch dudew mae unrhyw gliw yn llythrennol a ffigurol yn help!

Wedi ymgais aflwyddiannus i siarad â'r gyrrwr, suddodd Sam ei gorff tew yn ddyfnach fyth i seddau moethus y car, a meddwl eto am ddigwyddiadau anhygoel y diwrnod; codi fel arfer ganol y bore yn ei fflat dlodaidd yn Llundain, ddeng awr yn ddiweddarach dyma fe, a mwgwd ar ei lygaid a chwdyn dros ei ben, yn teithio yng nghefn Rolls, ar ei ffordd, efallai, i gael stori fwya'i fywyd. Y STORI FAWR. Breuddwyd pob newyddiadurwr, a Sam wedi ei chael hi, ar blat. Lwc mwnci.

Ond roedd Sam yn teimlo ei fod e'n haeddu bach o lwc. Roedd e wedi cael mwy na'i siâr o anlwc dros y blynyddoedd. Aeth ei feddwl yn ôl at y dyddiau cynnar pan gyrhaeddodd Fleet Street am y tro cyntaf yn ddyn ifanc yn llawn ynni a gobeithion. Roedd e wedi cael blynyddoedd llewyrchus… llawer iawn o waith, a nifer fawr o straeon da… gwraig a dau o'r plant bach delaf welsoch chi rioed… tŷ bach twt yn Blackheath, rhan orau Blackheath… y straeon da yn dal i ddod, digon o ganmoliaeth ond rhywsut, dim dyrchafiad.

Penderfynu newid papur, a symud at un fyddai'n gwerthfawrogi ei dalentau... popeth yn mynd yn wych am tua blwyddyn, yna'r papur, yn ddirybudd bron, yn mynd i'r wal. Ac o hynny 'mlaen anlwc yn dilyn anlwc... ei wraig yn clywed am y pishyn yn Chelsea, ac oherwydd y benfelen fach dwp honno, ei briodas fel ei swydd yn diflannu. Ysgariad cas a chostus, llai a llai o gomisiynau gwaith, a dim i'w wneud ond derbyn y mân straeon, y briwsion o fyrddau pobol eraill.

Pymtheng mlynedd 'rôl cyrraedd Llundain, dyna lle'r oedd e heb neb yn y byd i hidio dim amdano, yn brin o bres, yn gyson llawn o gwrw, ac o flwyddyn i flwyddyn yn mynd yn bellach, bellach oddi wrth yr un stori fawr a fedrai ei godi ar ei draed eto. Un sgŵp, i dynnu sylw'r golygyddion, a rhoi cyfle iddo ailddangos ei allu... un sgŵp. Ond o ble?

Ddeng awr yn ôl, fe ddaeth y cyfle. Hanner ffordd trwy beint cynta'r dydd fe sylwodd Sam ar olygydd y *Daily Globe* yn dod i mewn i'r bar. Roedd y dafarn yn un boblogaidd gyda dynion papur newydd. Roedd y golygydd yn amlwg yn chwilio am rywun. Efallai y medrai Sam ei helpu, a siawns cael rhyw joban bach am ei helpu.

"Ym, Mr Harries... Sam Griffiths... chi'n fy nghofio i."

"Sam. Yr union berson ro'n i'n chwilio amdano. Beth gymri di?"

"Ym... peint... nage, gin a tonic os ca' i. Ro'ch chi'n chwilio amdana i?"

"Eistedd i lawr yn y gornel acw, lle cawn ni heddwch. Mi ddo i â dy ddiod draw."

Llowciodd Sam weddill ei beint – doedd dim pwynt gwastraffu – a brysio i'r sedd yn y gornel.

"Reit Mr Harries. Sut fedra i helpu?"

"Wel, yn gynta, mae'n rhaid i ti ddeall fod hyn yn gwbwl gyfrinachol."

"Cyfrinachol. Wrth gwrs. Mi fedrwch ddibynnu arna i."

"Wel, mae gen i stori... stori fawr, ac mi fyddwn i'n hoffi i ti ei sgrifennu hi i mi. Am lawer o resymau, dw i ddim eisiau defnyddio un o'r staff. Mi fyddet ti jest y dyn, os wyt ti'n rhydd am y tri diwrnod nesa wrth gwrs..."

"Rhydd... ym... ydw, fel mae'n digwydd bod. Ydw."

"Da iawn. Wel, wna i ddim rhoi'r manylion i ti nawr, na sut clywais i am y stori. Mae'n well i ti ddod at y peth yn ffres. Mae'n stori mor anhygoel. Ond fe ddweda i un peth wrthot ti. Mi fydd cyhoeddi'r stori yn creu sgandal aruthrol... a hynny ymhlith enwau adnabyddus."

Sgandal? Fe fyddai Sam yn mwynhau dadlennu sgandal, talu'n ôl i'r diawliad ffroenuchel, lwcus.

"Y cyfan sy rhaid i ti neud yw dal y trên lan i stesion Caer. Mae gen i docyn i ti'n barod. Dosbarth Cynta wrth gwrs. Bydd rhywun yn cwrdd â ti fanno. Rhaid i ti gario copi o'r *Globe* wedi'i rowlio'n dynn yn dy law chwith ac ufuddhau i orchmynion yn ddigwestiwn. Fe gei di dy arwain yn syth at y gŵr sy'n mynd i gyffesu'r stori. Mae e'n fodlon dweud y cyfan. Iawn? A phaid â sôn gair wrth neb... mi fydd 'na ddigon o siarad pan ddoi di'n ôl gyda'r stori. Wyt ti'n gêm?"

"Ydw siŵr. Mi gymra i dacsi i'r stesion y funud 'ma."

"Does 'na ddim brys. Dwyt ti ddim eisiau clywed y telerau?"

"Na, mi adawa i hynna i chi." Fe fyddai Sam wedi gwneud y stori am ddim pe bai'r angen!

"Wel, dyna ni 'te. Mae'n rhaid i fi fynd."

Er gwaetha 'i hun, gofynnodd Sam y cwestiwn iddo.

"Ym... wel... ym... dim ond o ran diddordeb, pam ddewisoch chi fi i neud y stori? O ble ym... hynny ydy... dy'ch chi ddim yn fy nabod i, ddim yn gyfarwydd iawn â fy ngwaith i."

"O, paid poeni. Fe wnes i ymholiadau. Rwyt ti jest y boi. Wedi dy ddewis yn ofalus."

"Ond..."

"Yn un peth rwyt ti'n Gymro. Ond dyna ddigon o glebran. Mae'n rhaid i mi fynd."

Oedd, roedd Sam yn Gymro ers talwm, ac er mwyn Y Stori, fe fyddai'n Gymro eto. Ond ffordd ddigon od o ddychwelyd i hen wlad ei dadau oedd teithio o stesion Caer yng nghefn Rolls gyda mwgwd a chwdyn dros ei ben!

Beth oedd rhif y car eto? 89... 89... 8983. Dyna fe. Bechod na welodd e'r llythrennau. Efallai y byddai cyfle'n dod pan gyrhaeddai ben y daith, ble bynnag fyddai fanno. Yn sydyn newidiodd sŵn tawel y Rolls ar y lôn i sŵn teiars ar gerrig mân. Tua chwarter milltir a dyma'r siwrnai ar ben. Cododd Sam ei ddwylo i dynnu'r mwgwd, ond daeth llaw y chauffeur a'i rwystro. "Dim eto. Daliwch eich gwynt am funud bach. Reit, allan â chi... chwe gris i fyny rŵan... arhoswch am eiliad."

Clywodd sŵn cloch, a drws yn agor.

"'Mlaen â chi."

Cyn iddo gymryd mwy na dau gam, daeth llais arall.

"Mi gaiff dynnu'r mwgwd 'na nawr, Sarjant. Dyna chi, dyna well."

Fe gymrodd rai eiliadau i lygaid Sam ddod i arfer â'r golau, ond o dipyn i beth gwelodd berchen y llais – gŵr tal, canol oed, gyda wyneb coch a mwstas militaraidd gwyn.

"Mr. Griffiths. Croeso mawr i chi. Dewch y ffordd hyn am ryw ddiferyn bach – a chael gwared ar lwch y daith."

Dilynodd Sam y gŵr trwy gyfres o stafelloedd moethus – roedd y lle'n amlwg yn blasty – a derbyn ei wahoddiad i eistedd mewn cadair ledr gyffyrddus o flaen tân coed mawr. Doedd hwn ddim yn ymddwyn fel dyn wedi ei ddal ynghanol sgandal fawr, ond roedd Sam yn hen law, wedi hen arfer efo blyff. Fyddai'r holl foethusrwydd, na'r croeso, na'r whisgi Chivas Regal gorau ddim yn gwneud mymryn o wahaniaeth.

"Gymrwch chi damaid o swper? Mae gen i samwn oer, neu ham cartre, neu…"

Roedd Sam eisiau bwyd, ond roedd e'n fwy o eisiau'r Stori.

"Na, dim diolch… Mi faswn i'n hoffi mynd yn syth at eich stori chi, y cyffesiad." Tynnodd lyfryn o'i boced, a biro.

"Wel, chi sy'n gwybod… Ond os ca' i ddweud, dy'ch chi ddim yn edrych y dyn i wrthod sgram – yn llond eich croen felna."

Doedd Sam ddim wedi dod yno i gael ei sarhau.

"Y Stori, plîs."

"Whisgi bach arall? Na? Wel, y stori. Gyda llaw, dw i ddim wedi cyflwyno fy hun yn fwriadol. Rydw i wedi cael eich golygydd i gytuno na ddaw'n enw i mewn i'r hanes."

Fe gawn ni weld am hynna. Doedd Sam ddim yn rhan o unrhyw gytundeb o'r fath.

"Dyna'r rheswm am y lol 'na efo'r mwgwd gyda llaw. 'Dw i ddim am i chi wybod pwy ydw i. Galwch fi'n Cyrnol, dyna'r cyfan."

Reit Cyrnol.

"Wel, fe ddigwyddodd y cyfan flynyddoedd lawer yn ôl yn 1946, pan oeddwn i'n gapten ifanc yn y fyddin. Ar ddiwedd y rhyfel fe gefais i'm symud i weithio yn llysgenhadaeth Prydain Fawr yn San Hernadez, De America – 'Military Attache'. Ychydig iawn i'w wneud ond edrych ar y señoritas ac yfed. Dewch nawr, whisgi bach arall. Dyna ni. Ble roeddwn i? O ia, yn San Hernandez. A dyna i chi beth od – roeddwn i'n un o chwech o Gymry ifanc yn y ddinas bryd hynny. Dau arall ar staff y llysgenhadaeth, un yn ohebydd, un yn swyddog cwmni mwynfeydd a'r olaf ar staff y Brifysgol. Fe fydden ni'n arfer cwrdd yn rheolaidd yn y Clwb, a rhoi'r byd yn ei le. Tua chanol mis Chwefror 1947 dyma ni'n siarad am ddathlu Gŵyl Ddewi – mae'n ddiwedd yr haf yn Ne America erbyn hynny wrth gwrs.

'Beth am fynd i Batagonia?' meddai rhywun, ac wedyn roedd rhaid trefnu i fynd i'r Wladfa. Tipyn o fenter cofiwch. Mae Patagonia 15,000 milltir o San Hernandez – a mynyddoedd yr Andes rhyngddyn nhw. Ond trwy dynnu llinynnau, fe gawson ni fenthyg awyren Dakota a dau beilot i fynd â ni – Sais ac Awstraliad.

Ac ar 27 Chwefror i ffwrdd â ni, yn barti llon. Llond cist o ddanteithion i'w cnoi ar y ffordd, digon o fwyd am wythnosau, a dweud y gwir – a dau ddwsin o boteli gwin ardderchog Chile. Gadawon ni'r brifddinas a dechrau dringo, dringo ar unwaith i fynd dros fynyddoedd yr Andes. Roedden ni'n croesi dros fwlch uchel – hwnnw yn fwy na 12,000 o droedfeddi yn uwch na'r môr ac eira cynta'r gaea eisoes ar hyd y llethrau. A diolch byth am hynny. Dyna achubodd ein bywydau ni.

Yn sydyn, a ninnau reit ar gopa'r bwlch daeth storm o fellt a tharanau ac eira o'n cwmpas ni a thaflu'r Dakota fel deilen. Dyma glec o'r injan chwith, a fflamau ar hyd yr adain. Welsoch chi rioed y fath ddychryn.

'Clymwch eich hunan i mewn,' meddai'r peilot mewn braw. 'Mae'n rhaid i mi ei rhoi hi lawr. Does dim gobaith diffodd y tân i fyny fan hyn. Brysiwch. Eich pennau rhwng eich coesau, a'ch cefnau at yr injan...'

Y peth ola rydw i'n ei gofio cyn y glec fawr a'r sgytiad wrth lanio, oedd yr anobaith yn llais Joey yr Awstraliad... yn ceisio gweithio'r radio 'Mayday... Mayday... Mayday' – a neb yn ei glywed drwy fflachiadau'r storm.

Y peth nesaf oedd y distawrwydd llethol wedi'r gwymp a llais Joey eto, yn griddfan... ond pharodd hynny ddim yn hir... a phan es ymlaen i'r caban, digon hawdd gweld pam... roedd hanner yr offer radio wedi syrthio ar ei ben, mae'n syndod na laddwyd o'n syth, ond yn drugaredd ei fod wedi mynd o fewn munudau.

Roedd Tommy, y peilot yn anymwybodol, a'r gweddill ohonon ni, diolch i allu'r peilot, yn holliach. Er bod y tân wedi diffodd yn yr eira, rhag ofn ffrwydriad fe lusgon ni'r peilot diymadferth o'r awyren, a chysgodi yn sgil craig fawr, a'r gwynt a'r eira yn chwibanu a rhuthro o'n cwmpas ni. Roedd gyda ni ddigon o gotiau a blancedi diolch byth, doedd dim i'w wneud ond cysgodi, a disgwyl i'r storm gilio. Fe gymerodd dri diwrnod, a ninnau erbyn hynny wedi cropian yn ôl i'r awyren. Roedd yr awyren yn fwy cysgodol na'r graig, ond er hynny yn ofnadwy o oer..."

Rhoddodd y Cyrnol brociad i'r tân coed, ac arllwys Chivas Regal arall iddo'i hun. Gwrthododd Sam. Roedd e braidd yn siomedig yn y stori yma. Iawn yn ei lle – ond nid dyma'r Stori Fawr.

"Pan giliodd y storm, y peth cynta wnaethon ni oedd claddu'r Awstraliad yn yr eira, a gyda fe claddu pob gobaith am fynd oddi yno'n fuan. Roedd y ddamwain yn anffodus wedi dinistrio'r radio. 'Peidiwch poeni,' meddai'r peilot. 'Mae gyda ni ddigon o fwyd am fis, diogon o ddŵr o'r eira 'na – a gwin Chile hefyd – a digon o danwydd o'r awyren i'n cadw ni'n gynnes. A beth sy'n fwy, roedd y tŵr ar faes awyr Rosas yn gwybod ein cyfeiriad. Fe fyddan nhw yn chwilio amdanan ni o fewn tri diwrnod...'

Wel, gyfaill, doedden nhw ddim. Ar ôl tair wythnos – ac roedd hi'n amlwg nad oedden ni'n mynd i gerdded o'r dyffryn uchel, oer, tan y gwanwyn, ym mis Medi. Do, fe glywon ni awyrennau yn y pellter unwaith neu ddwy, a rhuthro allan i gynnu coelcerth er mwyn tynnu sylw – ond dim lwc.

Roedd y bwyd yn mynd yn llai ac yn llai o ddydd i ddydd, ond roedd yr anobaith, y newyn ac o dipyn i beth y gwallgofrwydd yn tyfu. Rydw i'n cofio bwyta, neu'n hytrach yfed, fy nhamaid bach corned beef mewn peint o ddŵr a'i weld yn troi o flaen fy llygaid yn stecen flasus, wedyn yn ddarn mewn siop cigydd, yna yn fustach cyfan – pethau felna... Rydych chi'n dal gyda fi, on'd ydych chi?"

Roedd Sam, a dweud y gwir, wedi colli diddordeb yn llwyr yn y stori yma. Hen ŵr yn cofio am anturiaethau ei ieuenctid, a'r arwriaeth yn tyfu dros y blynyddoedd. Rhwng y Chivas Regal a blinder y daith, roedd Sam yn teimlo fel syrthio i gysgu. Ond deffrodd y frawddeg nesa fo, ei ddeffro a'i ddychryn bron allan o'i synhwyrau.

"Efallai ein bod ni i gyd wedi meddwl am y peth, ond wel, un diwrnod, a hithau'n wael arnon ni, aeth parti allan a dod nôl â... digon o gig, wedi ei gadw'n ffres gan yr eira – corff Joey yr Awstraliad!"

Bu bron i Sam syrthio o'i gadair.

"Dydych chi ddim yn meddwl dweud... Nid...?"

"Ie, er mwyn achub ein hunain fe wnaethon ni droi'n ganibaliaid. Fe gaethon ni fwyd am dair wythnos gyfan... mae corff dyn yn ddigon tebyg i fochyn... mae bron popeth yn dda i'w fwyta. Mae canibaliaid, be ddwedwn ni, proffesiynol – yn New Guinea a llefydd felly – yn galw dyn yn 'mochyn hir'... Ond fel dwedais i, dw i ddim am roi manylion."

Rhedodd Sam dafod nerfus dros ei wefusau, "Ym... mae'n rhaid i mi ofyn hyn... Sut... sut flas oedd ar y cig...? Rhywbeth tebyg i fochyn?"

"Na. Nag ydy. Ond dydw i ddim yn meddwl fod hynna yn bwysig, sut flas oedd arno fo. Rhaid i chi gofio mai ceisio achub ein bywydau oedden ni..."

"Ac fe achuboch chi eich hunain... drwy ganibaliaeth!" Oedd, roedd Sam wedi cael ei Stori Fawr. "Rydw i'n meddwl mai dyma'r lle i gymryd enwau eich cyd... ym... cyd-ganibaliaid... a'r peilot. Enwau adnabyddus yn ôl Harries, golygydd y *Globe*."

"Dydy enw'r peilot ddim o bwys."

"Ewch ymlaen."

"Diod bach cyn mynd mlaen?"

Derbyniodd Sam yn llawen. Efallai y byddai ei angen o i wrthsefyll y sioc. Canibaliaeth – a'r stori yn gwaethygu o hyn ymlaen!

Drachtiodd y Cyrnol yn ddwfn o'i whisgi, ac ailddechrau.

"Fe barodd... Joey... am bedair wythnos. Ond ar ddiwedd y mis, doeddan ni ddim nes i'r lan... dim gobaith cael ein hachub am fisoedd... a'r newyn yn waeth nag erioed. A dyma ni'n dechrau trafod un prynhawn hanes Capten Oates aeth allan o'i babell i'w farwolaeth yn Antarctica, er mwyn ceisio achub Capten Scott a'i gyfeillion. Aberthu ei hun i helpu eraill. Ond doedd yr un ohonon ni mor ddewr. Fe benderfynon ni mai tynnu cardiau oedd yr unig ffordd o... oresgyn y broblem... Delio'r pac... a'r dyn cyntaf i gael Jac yn cymryd y dryll o'r Dakota... yntau yn dal i ddelio nes doi'r *Ace* rhawiau – cerdyn traddodiadol marwolaeth. Yr eiliad y byddai honno'n dod – tanio – a chig ffres am fis arall... Mae'n swnio'n ofnadwy mewn gwaed oer, ond ar y pryd, roedd o'r unig benderfyniad, ac fe gytunodd pawb.

Y peilot oedd yn delio... Y cerdyn cyntaf ddeliodd o i mi – Jac! Felly, roeddwn i'n ddiogel... Gyda'r dryll yn fy llaw dde anelais at y gŵr wrth fy ochr, codi cerdyn o'r pac, a'i droi... rhif tri... ac felly ymlaen rownd y cylch... anelu gyntaf, codi cerdyn wedyn. Yr eiliad y gwelwn *Ace* y rhawiau, roeddwn am danio... Roedd y pentwr cardiau yn mynd yn llai, ac yn llai... ac yna, o flaen y Cymro o'r Brifysgol... yr *Ace*. Taniais a thanio a syrthiodd y peilot efo twll trwy ei dalcen. Chi'n gweld, roedden ni'r Cymry wedi cytuno ymlaen llaw pwy bynnag fyddai'n ennill mai'r peilot fyddai'r mochyn hir."

"A beth pe byddai'r peilot wedi cael y Jac gyntaf?"

"Roeddan ni am ei saethu o wrth basio'r dryll drosodd. Mae'n rhaid i ni Gymry lynu wrth ein gilydd."

Gwenodd y Cyrnol. "Ac wir, roedd aberth y peilot yn werth chweil. O fewn pythefnos daeth awyren drosodd – siawns pur, roedd hithau ar goll. Gwelodd ein tân ni... fe guddion ni bob arwydd o'r... o'r... Yn fuan iawn wedyn roeddan ni wedi'n hachub... awyren fach ysgafn ar *skis* yn glanio yn y dyffryn a'n codi ni, ddau ar y tro... Roedd y doctoriaid yn San Hernandez yn rhyfeddu ein bod ni'n dal yn fyw, y chwech ohonon ni wedi cadw mor dda. Welon ni byth mo'r Wladfa. A dyna chi... dyna'r stori, i gyd."

"O nage," meddai Sam, wedi ei gyffroi bron allan o'i synhwyrau. "Mae 'na un peth bach ar ôl – yr enwau."

"O, fedra i ddim dweud yr enwau wrthoch chi," meddai'r Cyrnol. "Rydw i wedi addo. Ond fe ddweda i gymaint â hyn wrthoch chi fel cliw. Rydyn ni i gyd wedi dod ymlaen yn y byd ers hynny... wedi llwyddo... dau o leiaf yn enwog. A sawl Cymro oedd 'na yn San Hernandez yn 1946? Tipyn o ymchwil, ac fe ddylech gael yr enwau."

Cododd y Cyrnol, a chanu cloch.

"Cyn i'r Sarjant eich tywys chi oddi yma... mae 'na un peth bach arall o ddiddordeb... Rydw i wedi cadw'r dryll y saethais i'r peilot gydag e. Fyddech chi'n hoffi ei weld e...?"

A chyn i Sam droi, roedd dryll yn anelu at ei dalcen. Y geiriau olaf glywodd e oedd y Cyrnol yn esbonio.

"Fe ofynnoch chi sut flas oedd ar y mochyn hir... wel, mi ddweda i wrthoch chi... bythgofiadwy. Mae e'n fwy blasus nag unrhyw flas arall..."

Daeth y Sarjant i mewn... a llusgo'r corff tua'r gegin, a dechreuodd y Cyrnol ffonio'i gyfeillion, gyda'r addewid o wledd Gŵyl Ddewi eleni eto.

Yr olaf iddo ffonio oedd Harries, golygydd y *Globe*... roedd yntau wedi dringo ymhell o'i swydd fel gohebydd yn San Hernandez ym 1946.

"Fedri di ddim dod? Dyna hen dro... a thithau wedi... wedi paratoi'r wledd eleni. Iawn te... mewn pythefnos. Mi gadwn ni ddarn i ti yn y rhewgell."

Storïau '73, Gwasg Gomer

CARIAD
A CHASINEB

Pe Bai'r Wyddfa
i Gyd yn Gaws

Mihangel Morgan

GWTHIODD ROBYN YR ÉCLAIR anferth i ogof ei geg yn gyfan. Glynodd peth o'r hufen yng nghorneli'i fwstás llaes a disgynnodd briwsion siocled i lawr ei ên a thros ei fynydd o fola.

"Ga i un arall, Mam?" gofynnodd Robyn.

"Cei, wrth gwrs, fy machgen annwyl i."

"A, Mam?"

"Ie, 'ngwas i?"

"Wnei di roi'r record 'na, 'O, ble gest ti'r ddawn?' ymlaen?"

"Gwnaf, wrth gwrs, fy mlodyn, os wyt ti mo'yn."

O ble gest ti'r ddawn i dorri calonnau...

"Pam wyt ti mo'yn y gân 'ma, Robyn? Mae'n eitha trist, on'd yw hi?"

"Dyna pam, Mam. Dw i'n teimlo'n drist iawn heno."

"O? Pam wyt ti'n teimlo'n drist, 'nghariad bach i? Gwêd wrth dy fam."

"Mae Wendy wedi 'ngadael i, Mam."

Aethai Robyn i'r ddinas i gwrdd â'i ffrind, Wendy ac aethon nhw i fwyty crand o'r enw Chwe-Deg-Naw i ddathlu dyrchafiad Robyn yn is-gynorthwyydd cynorthwyol yn swyddfa cyngor y dre.

Gwisgai Wendy ffrog newydd bert las a blodau bach melyn arni, ac roedd hi wedi cael ei gwallt wedi'i drin yn arbennig ar gyfer yr achlysur. Edrychai'n daclus iawn ond doedd hi ddim yn hardd â'i llygaid broga mawr a'i gwallt melyn tenau. Ond o leiaf roedd hi wedi gwneud ymdrech. Pan welodd hi Robyn ni wyddai pam yr aethai i gymaint o drafferth. Edrychodd arno â siom yn ei chalon, mewn gair roedd e'n flêr. Roedd e'n gwisgo'r un dillad brwnt ag a wisgasai i'r swyddfa'r diwrnod hwnnw, dillad llac, glas tywyll a brown. Doedd e ddim wedi trafferthu eillio chwaith, doedd e ddim wedi trafferthu eillio ers tridiau felly roedd ei fochau a'i ên yn llwyn o wrych geirwon. Meddyliodd Wendy am y Twrch Trwyth ar unwaith, ac am Ysbaddaden Bencawr hefyd oherwydd bod gan Robyn gynffon o wallt tenau, seimllyd, a hongiai dros ei war fel cwtyn llygoden. Ni fyddai byth yn golchi'r gwallt hwn.

Serch hyn i gyd hoffai Wendy feddwl ei bod yn caru Robyn mewn ffordd. Gallai fod yn ddifyr a diddorol a choleddasai Wendy y gobaith y gallai ei newid pe gallai'i ddenu oddi wrth ei fam. Ond yn ddiweddar roedd hi'n dechrau colli amynedd, roedd hi'n ei weld e'n hunanol ac yn frwnt. Roedd e wastad wedi tueddu i fod yn gnawdol, ond erbyn hyn roedd e wedi magu gormod o bwysau. Pan eisteddodd i lawr ar y gadair fach â choesau tenau yn y bwyty ofnai Wendy ei weld hi'n torri oddi tano.

"O, Robyn, dw i mor falch. O'r diwedd rwyt ti'n dechrau dod ymlaen yn y byd. Pan gwrddon ni a dechrau... dechrau dod yn ffrindiau, wyth mlynedd yn ôl bellach, mae'n anodd credu, on'd yw hi? Pwy fyddai'n meddwl y byddet ti'n is-gynorthwyydd cynorthwyol heddiw? A ninnau'n dal i fod yn... ffrindiau?"

"Wel, do'n i ddim yn edrych mor anobeithol, o'n i Wendy?"

"O, na, nid dyna o'n i'n feddwl, do'n i ddim yn awgrymu dy fod ti'n edrych... Wel, ti'n gw'bod."

"Nag ydw, Wendy. Dwyt ti ddim yn siarad yn glir iawn heno o gwbl. Prin dy fod ti'n gwneud synnwyr. A finnau'n gobeithio dathlu fy nyrchafiad. Paid â hela fi i deimlo'n bentost fel y mae gen ti ryw ddawn i'w wneud weithiau."

"O, do'n i ddim eisiau brifo dy deimladau di. Wir, nag o'n, Robyn."

"Wel gadewch inni edrych ar y fwydlen i weld be gawn ni i'w f'yta i ddathlu."

Darllenodd Robyn y fwydlen â'i drwyn. Er ei fod yn gwisgo sbectol a gwydrau trwchus iawn, roedd e'n ofnadwy o fyr ei olwg. Wrth iddo graffu ar y geiriau bach syllodd Wendy arno. Edrychai'n debyg i wadd anferth â'i lygaid gwan, ei ddwylo tew pinc a'i ewinedd hir brwnt, crafanglyd.

Daeth un o'r gweinyddion atynt o gornel y bwyty.

"Beth wyt ti'n mynd i'w gael, Wendy?"

"Dw i'n mynd i gael y cawl llysiau i ddechrau ac omled a salad fel prif saig."

"Dyna i gyd?"

"Ie. Oes gwahaniaeth 'da ti, Robyn?"

"Nag oes. Ond dathlu 'yn ni cofia. Felly fe gymera i'r corgimychiaid ac afocado a bara garlleg a myshrwms i ddechrau a chimwch gyda llysiau a salad a sglodion tatws ar yr ochr. A be gymerwn ni i'w yfed – wel siampên wrth gwrs!"

"Dim i fi, diolch Robyn."

"Ti'n gallu bod yn boen yn y pen-ôl weithiau. Wendy; ry'n ni'n dathlu, cofia."

"O, iawn 'te, fe gymera i siampên hefyd."

"Sdim eisiau i ti orfodi dy hun er mwyn 'y mhlesio i."

"Robyn. Dw i'n eithaf hapus i yfed siampên i ddathlu dy ddyrchafiad di, iawn?"

"Iawn. Sdim eisiau i ti droi'n gas chwaith. Gobeithio na fydd y bwyd 'ma'n hir. Dw i'n llwgu."

Ar hynny cyrhaeddodd y bwyd a osododd y gweinydd fowlen o gawl o flaen Wendy a gwydryn hir yn llawn o gorgimychiaid pinc, yn goesau ac yn deimlyddion tenau ac yn llygaid bach duon i gyd, o flaen Robyn.

Roedd Wendy yn dawel, wedi pwdu. Gwyliodd Robyn yn rhwygo cyrff y corgimychiaid ac yn taflu eu canolau bach noeth i lawr ei lwnc, un ar ôl y llall, gan adael pentwr o sgerbydau bach oren ar y plât.

Yna daeth y prif brydau. Omled a salad i Wendy a chimwch anferth i Robyn, yn union fel corgimwch wedi tyfu'n gawr mewn ffilm ffug-wyddonol. Craciodd Robyn arfwisg goch y cimwch a rhwygodd y cnawd â'i fysedd a chyda'i ddannedd. Stwffiodd y sglodion a'r bara i'w geg bron ar yr un pryd a chymerodd ddrachtiau o siampên i olchi'r bwyd i lawr ei lwnc.

Ond rhwng y ddiod a'r pwdin cafodd Wendy hufen iâ fanila a chafodd Robyn fynydd bach o broffiterôls a saws siocled yn diferu drostynt – fe laciwyd eu tafodau.

"O, Wendy, dw i mor falch dy fod ti wedi dod 'da fi i ddathlu heno. Dw i wedi mwynhau fy hunan yn fawr iawn," meddai Robyn, ar ôl dechrau ar ei ail Gadair Idris o broffiterôls. Roedd y ddau yn yfed coffi.

"Wel, nawr bod gen ti well swydd a char, ac rwyt ti'n meddwl prynu dy fflat dy hun, dim ond un peth arall sydd eisiau."

"Beth wyt ti'n feddwl?"

"Wel, meddwl oeddwn i, ydy dy fywyd di'n gyflawn?"

"Ti'n iawn, Wendy. Ti'n nabod fi'n dda, on'd wyt ti?"

"Ry'n ni wedi bod yn ffrindiau agos ers dros wyth mlynedd, Robyn."

"Ti'n iawn, Wendy, fe fydd rhaid imi gael rhyw gi neu gath i gadw cwmni i mi. Rhywbeth byw o gwmpas y lle."

"Ga i ragor o'r coffi 'na, Robyn?"

"Cei wrth gwrs."

"O's 'na ryw ffilm dda ar y teledu heno tybed?"

"Nag oes."

"Wel oes fideo 'da ti o rywbeth 'te?"

"Nag oes."

"Robyn. Mae'n ddrwg 'da fi ond dw i'n teimlo'n flinedig. Well imi fynd."

"Beth am dy got?"

Wrth iddynt adael y bwyty gofynnodd Robyn yn betrus:

"Wendy. Hoffet ti ddod acw heno?"

"Mae'n rhy ddiweddar, Robyn. Dw i wedi bod yn crybwyll y peth drwy'r noson ond weithiau ti'n gallu bod mor ddideimlad â bloc o goncrid."

"Ga i fynd â ti adre yn fy nghar 'te?"

"Ti'n anghofio, Robyn, fod gen i fy nghar fy hun – dyna sut cyrhaeddais i yma heno. Diolch yn fawr. Fe wela i di o gwmpas. Hwyl."

Ciliodd Wendy mewn cwmwl o oerni. Arllwysodd

Robyn ei gorff mawr meddal i'w gar bach. Prin ei fod yn ffitio.

Wrth feddwl am y noson yn awr teimlai'n isel ei ysbryd.

Yna daeth ei fam ato a dau *pizza* crwn gyda chig a chaws a selsig a llysiau, pupur coch a gwyrdd, a madarch a chorgimychiaid a ham a thiwna ac ansiofis ac olifau du ar eu pennau nhw.

"Ar ôl iti f'yta rheina mae 'da fi ddau *gâteau* siocled a hufen iti," meddai'i fam.

Y diwrnod wedyn roedd Robin yn gweithio yn y swyddfa pan ddaeth galwad ffôn iddo. Wendy oedd ar y pen arall.

"Mae'n ddrwg gen i, Robyn, ond dw i wedi penderfynu dw i ddim eisiau dy weld ti eto…"

"Ond, Wendy, mae'n ddrwg gen i hefyd…"

"Paid â dweud dim! Paid â thorri ar fy nhraws i o hyd. Dw i wedi gwrando digon arnat ti. Wedi cael wyth mlynedd yn dy ganlyn di, yn gwrando arnat ti'n siarad am dy waith anniddorol, dy gar bach hen ffasiwn, a dw i wedi dy wylio di'n b'yta fel mochyn – a dw i wedi cael digon. Dwyt ti byth wedi gofyn imi am fy ngwaith i, byth wedi dangos dim diddordeb yn fy mywyd i. Rwyt ti mor hunanol ac mor ddideimlad â ffenest. Wel, mae hi ar ben ar ein cyfeillgarwch ni. Paid â cheisio cysylltu â fi."

Diflannodd ei llais. Gorffennodd Robyn ei waith am y dydd. Gofynnodd i'w fam wneud pryd mawr o basta a chig moch a chig eidion a chaws. A gwnaeth hithau hynny yn unol â'i gyfarwyddiadau. Pan ddaeth y bwyd roedd y caws yn toddi i'r pasta a'r cig fel cig ifanc, tyner, yn toddi, bron, ar y tafod. Golchodd Robyn y cyfan i lawr â sawl peint o gwrw. Doedd e ddim yn cadw cyfrif.

Yna, un bore ar ôl brecwast o uwd a siwgr ac wyth tocyn o dost yn nofio mewn menyn a chwech sleisen o facwn, a selsig a thri wy a bara wedi'i ffrio a thri chwpaned o goffi hufennog a phum llwyaid o siwgr ymhob un ohonynt, cusanodd Robyn ei fam ar ei boch a'i fwstás gwlyb gan ddweud:

"Ta ta, Mam. Dw i'n mynd i'r swyddfa nawr. Fe wela i di heno."

"Ta ta, fy neiamwnt," meddai'i fam. Ond daeth Robyn yn ôl yn syth.

"Be sy'n bod, deryn bach?" gofynnodd ei fam.

"Alla i ddim mynd i'r swyddfa heddi, Mam."

"Pam, fy ngheiriosyn bach? Dwyt ti ddim yn dost nag wyt ti?"

"Nag ydw, ond alla i ddim mynd heddi."

"Wel, gwed pam, fy nhrysor i."

"Alla i ddim mynd mewn i'r car. Mae'n rhy fach."

"Paid â phoeni," meddai'i fam, "aros di yma 'da fi."

Yna cafodd y ddau bryd o fwyd. Cawsant un o ffefrynnau Robyn, sef golwyth cig eidion a salad a sglodion tatws a bara menyn. Roedd y tatws yn frown ac yn denau ac yn seimllyd, y salad yn sylweddol ac yn wyrdd a choch ac yn galed gydag olew a garlleg arno. Roedd y golwyth yn dyner ac yn llawn sudd a gwaed, yn binc y tu mewn.

Yn ddiweddarach yn ystod y mis tyngedfennol hwnnw cododd Robyn i fynd am dro i stafell arall yn y tŷ dim ond i ganfod na allai fynd drwy'r drws.

"Paid ti â phoeni," meddai ei fam, "mi ddo i â bwyd i ti. Beth am sglodion tatws a *gâteau* neu ddwy nawr ac wedyn cei di rywbeth mwy sylweddol yn nes ymlaen?"

Un noson roedd Robyn yn gwylio'r teledu a bocs o

siocledi wrth ei ochr. Roedd wedi gorffen wyth pecyn mawr o greision yn barod pan ddiflannodd y llun. Galwodd ei fam drydanydd ar y ffôn i ddod i drwsio'r teledu. Yn y cyfamser, wrth iddynt aros amdano, ffoniodd ei fam am *pizzas* gan archebu rhai mawr dwfn gyda chaws ac olifau, corgimychiaid, madarch a chig moch a bara garlleg.

Yna daeth y trydanydd. Tywysodd mam Robyn y dyn i'r stafell lle'r oedd Robyn yn gorwedd o flaen y teledu diffygiol yn bwyta'r *pizza*. Safodd y peiriannydd, dyn bach tywyll gyda mwstas a phloryn ar ochr chwith ei drwyn, yn y drws am dipyn yn edrych arno fel petai wedi'i syfrdanu.

"Be sy'n bod?" gofynnodd Robyn.

"D-dim byd," meddai'r peiriannydd.

"Wel dewch i mewn 'te."

"Oes lle i ni'n dau?"

"Beth 'ych chi'n feddwl?"

"Dim byd. Dim byd."

"Tipyn o dwpsyn," meddyliai Robyn, gan bwyntio at y teledu yn y gornel.

"Dyw'r bechingalw 'ma ddim yn gweithio," meddai'r dyn.

"Athrylith," meddyliodd Robyn.

"Ydych chi wedi bod yn ei wylio fe ormod yn ddiweddar?"

"Dw i ddim yn meddwl," atebodd Robyn.

Ar ei ffordd allan ar ôl iddo orffen cywiro'r teledu, gofynnodd y trydanydd i'r fam,

"Be sy'n bod ar y boi 'na?"

"Beth y'ch chi'n feddwl?"

"Wel, be sy wedi digwydd iddo fe?"

"Does dim byd wedi digwydd iddo fe," meddai mam Robyn.

"Ond pam mae e'n gorwedd fel'na fel hen forfil anferth ar draeth?"

"Peidiwch â galw 'mab annwyl i'n forfil, cerwch o 'ma."

Yna sylweddolodd Robyn un diwrnod na allai ei godi ei hunan o'r llawr.

"Mam," meddai, "dyw bywyd ddim gwerth ei fyw fel hyn."

"Paid â phoeni dy ben, fy rhosyn i, mi ddo i â bwyd i ti."

Roedd Robyn yn fawr ac yn drwm, ond ddim mor drwm â John Brower Minnoch a bwysai 635kg ym 1978, na Walter Hudson a bwysai 544kg ym 1942, na Michael Walker a bwysai 538kg ym 1971, na Robert Earl Hughes a bwysai 485kg ym 1930.

Yna, un diwrnod, daeth ei fam ato gan ddweud: "Fy mab annwyl, coron fy nghalon, hen wraig weddw dlawd ydw i. Er 'mod i'n dy garu di'n fwy na dim byd arall yn 'y mywyd i, alla i ddim fforddio dy gadw di fel hyn ar fy mhensiwn i. Dw i wedi gwerthu popeth ac wedi gwario fy nghynilion i gyd er mwyn dy fwydo di," meddai.

"Paid â llefain, Mam, dere 'ma ataf i, imi gael rhoi sws iti." Aeth yr hen fenyw fach ato â llawenydd yn ei chalon gan daflu'i breichiau serchus amdano, er ei fod yn rhy lydan i'w gofleidio. Cofleidiodd Robyn ei fam gan ei gwasgu'n dynn i'w fynwes swmpus nes ei mygu i farwolaeth.

Wrth iddo edrych ar gorff ei fam, yr unig beth a boenai Robyn oedd sut y byddai ei chnawd yn blasu heb ei goginio.

Saith Pechod Marwol, Y Lolfa

Y Cardotyn

Anton Chekhov

"DDYN CAREDIG, BYDDWCH YN dda wrth ddyn tlawd, newynog. Dw i ddim wedi bwyta ers tri diwrnod. Does dim darn pump copec gyda fi i dalu am lety. Wir Dduw i chi! Am bum mlynedd roeddwn i'n athro ysgol mewn pentre bach a cholles fy swydd drwy gynllwynio Zemstov. Fe wnes i ddiodde oherwydd celwydde amdana i. Does dim swydd wedi bod gyda fi ers blwyddyn nawr."

Edrychodd Skvortsov, cyfreithiwr yn Petersburg, ar got fawr garpiog, las tywyll y dyn; ar ei lygaid meddw, lleidiog; ar y lliw coch ar ei fochau, ac roedd e'n meddwl ei fod e wedi gweld y dyn yma o'r blaen rywle.

"Rwy nawr wedi cael cynnig swydd athro yn nhalaith Kaluga," aeth y cardotyn ymlaen, "ond does dim arian gyda fi i dalu am y daith yno. Fyddech chi mor garedig â rhoi help i fi? Mae cywilydd arna i'n gofyn, ond… mae amgylchiadau yn fy ngorfodi."

Edrychodd Skvortsov ar ei sgidiau, roedd un yn esgid isel a'r llall yn esgid uchel ar ei goes, ac fe gofiodd yn sydyn.

"Gwranda, echdoe fe gwrddes i â ti yn Stryd Sadovoy," meddai, "a bryd hynny, ddwedest ti ddim dy fod ti'n athro, ond dweud dy fod ti'n fyfyriwr oedd wedi ei daflu allan. Wyt ti'n cofio?"

"N-a. Na, dyw hynny ddim yn bosib!" mwmialodd y cardotyn yn ddryslyd. "Athro ysgol bentre ydw i, ac os ydych chi eisie fe alla i ddangos y papure i chi i brofi hynny."

"Dyna ddigon o gelwydde! Echdoe, roeddet ti'n galw dy hun yn fyfyriwr, ac fe wnest ti hyd yn oed ddweud pam oeddet ti wedi cael dy daflu allan. Wyt ti'n cofio?"

Aeth wyneb Skvortsov yn goch, a chyda golwg ddirmygus yn ei wyneb trodd i ffwrdd oddi wrth y cardotyn carpiog.

"Mae'n warthus!" dywedodd yn ddig. "Mae'n dwyll! Fe wna i dy roi di i'r heddlu. Damo di! Rwyt ti'n dlawd a newynog ond dyw hynny ddim yn rhoi'r hawl i ti i ddweud celwydde mor ddigywilydd!"

Gafaelodd y cardotyn carpiog yn y drws a, fel aderyn wedi'i ddal mewn trap, edrychodd o gwmpas y neuadd mewn cyfyngder.

"Dw... dw i ddim yn dweud celwydd," mwmialodd. "Fe alla i ddangos papure i chi."

"Pwy all dy gredu di? Rwyt ti'n cymryd mantais ar gydymdeimlad pobl tuag at athrawon pentre a myfyrwyr – mae'r peth mor isel, mor wael, mor frwnt! Mae'n warthus!"

Aeth Skvortsov i dymer a rhoi pregeth ddidrugaredd i'r cardotyn. Roedd celwyddau haerllug y cardotyn wedi ei gynddeiriogi. Roedd y cardotyn yn troseddu yn erbyn yr hyn roedd e, Skvortsov, yn ei garu ac yn ei barchu ynddo ef ei hun: caredigrwydd, calon dyner, cydymeimlad â'r rhai anhapus. Drwy ei gelwyddau, drwy ei ymosodiad twyllodrus ar gydymdeimlad, roedd yr unigolyn hwn fel petai wedi llygru'r cardod y byddai e'n hoffi ei roi i'r tlawd heb unrhyw amheuon yn ei galon.

Ar y dechrau fe wnaeth y cardotyn amddiffyn ei hun, gan brotestio gyda rhegfeydd, yna aeth yn dawel a hongian ei ben mewn cywilydd.

"Syr!" meddai, gan osod ei law ar ei galon. "Roeddwn i'n wirioneddol yn... dweud celwydd! Dw i ddim yn fyfyriwr nac yn athro. Ffug oedd y pethe 'na. Roeddwn i'n arfer bod yn y côr Rwsaidd, ac fe ges i fy nhaflu mas am fod yn feddw. Ond beth alla i neud? Credwch fi, er mwyn Duw, fedra i ddim cardota heb ddweud celwydd – pan fydda i'n dweud y gwir does neb yn fodlon rhoi dim byd i fi. Drwy ddweud y gwir gallwn farw o newyn a rhewi heb lety dros nos! Mae'r hyn rydych chi'n ei ddweud yn wir, 'wy'n deall hynny, ond... beth alla i ei wneud?"

"Beth alli di ei wneud? Wyt ti'n gofyn beth alli di ei wneud?" gwaeddodd Skvortsov, gan fynd yn agos ato. "Gwaith – dyna sy'n rhaid i ti wneud! Rhaid i ti weithio!"

"Gwaith... Dw i'n gwybod hynny, ond ble alla i gael gwaith?"

"Paid siarad dwli. Rwyt ti'n ifanc, yn gryf ac yn iach, ac fe allet ti bob amser gael gwaith pe byddet ti eisiau. Ond rwyt ti'n gwybod dy fod ti'n ddioglyd, yn faldodus, ac yn feddw. Rwyt ti'n drewi o fodca! Rwyt ti wedi mynd yn ffals ac yn llwgwr ac yn werth i ddim byd ond cardota a dweud celwydde! Os wyt ti'n gostwng dy hun i gymryd gwaith rhaid i ti gael gwaith mewn swyddfa, yn y côr Rwsaidd, fel marciwr biliard, lle byddi di'n cael cyflog am neud dim byd! Ond sut fyddet ti'n hoffi gwneud gwaith corfforol? Fentra i na fyddet ti ddim yn fodlon bod yn borthor na gweithio mewn ffatri! Rwyt ti'n ormod o ŵr bonheddig i hynny!"

"Rydych chi'n dweud pethe..." meddai'r cardotyn gyda gwên chwerw. "Sut alla i gael gwaith corfforol? Mae'n rhy hwyr i fi weithio mewn siop, oherwydd mewn masnach rhaid dechre pan y'ch chi'n fachgen, fydde neb yn fodlon fy nghyflogi i fel porthor oherwydd dw i ddim yn dod o'r dosbarth hwnnw... A allwn i ddim cael gwaith mewn ffatri; rhaid dysgu crefft, a does gen i ddim un crefft."

"Paid siarad dwli! Rwyt ti o hyd yn chwilio am esgusodion! Fyddet ti'n hoffi torri coed?"

"Fyddwn i ddim yn gwrthod, ond mae torwyr coed mas o waith nawr."

"O! Mae pob diogyn yn siarad felna! Cyn gynted ag rwyt ti'n cael cynnig rhwbeth rwyt ti'n ei wrthod. Fyddet ti'n hoffi torri coed i fi?"

"Wrth gwrs y gwna i..."

"Da iawn, gawn ni weld... Ardderchog. Gawn ni weld!" Gyda brys nerfus ac nid heb bleser maleisus, gan rwbio'i ddwylo, galwodd Skvortsov ei gogyddes o'r gegin.

"Dere, Olga," meddai wrthi, "cer â'r gŵr bonheddig 'ma i'r sied a gad iddo dorri 'chydig o goed."

Dilynodd y cardotyn y gogyddes yn anfoddog. Roedd ei holl osgo yn ei gwneud yn amlwg ei fod wedi cytuno i fynd i dorri coed, nid am ei fod yn newynog ac eisiau arian, ond oherwydd cywilydd ac *amour propre*, oherwydd ei fod wedi cael ei gymryd ar ei air. Roedd yn amlwg, hefyd, ei fod yn dioddef o effaith fodca, a'i fod yn ddyn sâl, a ddim yn teimlo fel gweithio o gwbwl.

Brysiodd Skvortsov i mewn i'r stafell fwyta. Yno, o'r ffenest oedd yn edrych allan ar yr iard, gallai weld y sied goed a phopeth oedd yn digwydd yn yr iard. Gan sefyll wrth y ffenest gwelodd Skvortsov y gogyddes a'r cardotyn yn dod drwy'r cefn i'r iard a mynd drwy'r eira mwdlyd i'r sied goed. Roedd Olga yn edrych yn gas ar y cardotyn a dyma hi'n datgloi'r sied goed a bangio'r drws ar agor mewn tymer.

'Mwy na thebyg ein bod ni wedi torri ar draws Olga pan oedd hi'n yfed ei choffi,' meddyliodd Skvortsov. 'Dyna greadur drwg ei thymer yw hi!'

Yna gwelodd y athro ffug a'r myfyriwr ffug yn eistedd ar flocyn mawr o bren, ac yn pwyso'i fochau coch ar ei ddyrnau a meddwl yn ddwfn. Taflodd y gogyddes fwyell wrth ei draed a phoeri'n ddig ar y llawr, ac yn ôl yr olwg ar ei wyneb dechreuodd ei ddwrdio. Tynnodd y cardotyn flocyn o bren tuag ato heb unrhyw frwdfrydedd, gosod y blocyn ar ei draed, a thynnu'r fwyell yn ysgafn drosto. Cwympodd y blocyn i'r llawr. Tynnodd y cardotyn y blocyn tuag ato eto, anadlu ar ei ddwylo oedd wedi rhewi, a chododd y fwyell dros y blocyn yn ofnus fel petai ofn bwrw ei sgidiau neu dorri ei fysedd bant. Cwympodd y blocyn i'r llawr unwaith eto.

Roedd tymer ddrwg Skvortsov wedi diflannu nawr, a theimlai'n flin ac yn euog ei fod wedi gorfodi dyn maldodus, meddw ac a oedd efallai'n ddyn sâl, i wneud gwaith caled, garw yn yr oerfel.

'Does dim gwahanieth, gadewch iddo fynd mlaen â'r gwaith,' meddyliodd gan fynd o'r stafell fwtyta i'w stydi. 'Rwy'n gwneud hyn er ei les e!'

Awr yn ddiweddarach daeth Olga i'r golwg a chyhoeddi fod y coed wedi eu torri.

"Rho'r hanner rwbl yma iddo fe," meddai Skvortsov. "Os yw e eisie, fe all ddod i dorri coed ar y dydd cynta o bob mis... Fydd yna bob amser waith iddo fe."

Ar y cyntaf o'r mis fe alwodd y cardotyn eto ac unwaith eto enillodd hanner rwbl, er ei fod yn cael gwaith sefyll ar ei draed. O hynny ymlaen fe fyddai'n dod yn aml, ac fe gafwyd gwaith iddo bob tro: weithiau fe fyddai'n sgubo'r eira'n dwmpathau, neu gymhennu'r sied, dro arall byddai'n curo'r matiau a'r carpedi. Roedd e bob tro yn cael tri deg neu bedwar deg copec am ei waith, ac un tro anfonwyd hen bâr o drowsus allan iddo.

Pan symudodd Skvortsov dŷ fe gyflogodd y cardotyn i gynorthwyo gyda'r pacio a symud y dodrefn. Y tro yma roedd y cardotyn yn sobor, yn drist ac yn dawel; doedd e heb braidd gwrdd â'r dodrefn a cherddai y tu ôl i'r faniau dodrefn gan blygu'i ben heb geisio edrych yn brysur hyd yn oed; dim ond crynu oherwydd yr oerfel a ddim yn gwybod beth i'w wneud â'i hun pan fyddai'r dynion dodrefn yn chwerthin ar ben ei ddiogi, ei wendid a'r got garpiog a fu unwaith yn eiddo i ŵr bonheddig. Ar ôl y symud anfonodd Skvortsov amdano.

"Wel, 'wy'n gweld fod 'y ngeiriau i wedi cael effaith arnot ti," meddai, gan roi rwbl iddo. "Mae hwn i ti am dy waith. 'Wy'n gweld dy fod yn sobor ac yn barod i weithio. Beth yw dy enw di?"

"Lushkov."

"Fe alla i gynnig gwell gwaith i ti, heb fod mor galed, Lushkov. Wyt ti'n gallu sgrifennu?"

"Galla syr."

"Yna, cer â'r nodyn hyn i 'nghyfaill i ac fe wneith e roi gwaith copïo i ti i'w neud. Gweithia, paid yfed, a phaid ag anghofio beth ydw i wedi'i ddweud wrthot ti. Pob hwyl i ti."

Fe wnaeth Skvortsov, oedd yn falch ei fod wedi gosod y dyn ar y llwybr cywir, roi ei law'n gyfeillgar ar ysgwydd Lushkov a hyd yn oed siglo llaw ag e wrth ymadael.

Fe gymrodd Lushkov y llythyr a mynd, ac o hynny allan ddaeth e ddim 'nôl i'r iard gefn i weithio.

Aeth dwy flynedd heibio. Un dydd roedd Skvortsov yn sefyll yn swyddfa docynnau theatr, yn talu am ei docyn, pan welodd wrth ei ochr ddyn bach gyda chot â choler o groen oen a chap siabi o groen cath am ei ben. Gofynnodd y dyn yn ofnus i'r clerc am docyn galeri a thalu mewn copecau.

"Lushkov, ti sy 'na?" gofynnodd Skvortsov, gan adnabod y dyn bach fel ei gyn dorrwr coed. "Wel, beth wyt ti'n ei wneud? Wyt ti'n dod mlaen yn iawn?"

"Eitha da… Dw i'n gweithio mewn swyddfa cyfreithiwr nawr. Dw i'n ennill tri deg pump rwbl."

"Wel, diolch i Dduw, dyna dda. 'Wy'n falch iawn drosot ti. 'Wy'n falch iawn, iawn Lushkov. Wyt ti'n gwybod, mewn ffordd, ti yw fy mab bedydd. Fi wthiodd ti i'r cyfeiriad iawn. Wyt ti'n cofio'r bregeth ofnadwy roddes i i ti, e? Fuest ti bron mynd drwy'r llawr bryd hynny. Wel, diolch i ti, rhen fachgen, am wrando ar 'y ngeiriau i."

"Diolch i chi hefyd," meddai Lushkov. "Pe bawn i heb ddod atoch chi'r diwrnod hwnnw, falle byddwn i'n dal i alw'n hunan yn athro neu'n fyfyriwr. Ie, yn eich tŷ chi y ces i'n achub a dringo mas o'r twll du."

"'Wy'n falch iawn, iawn."

"Diolch i chi am 'ych geiriau a'ch gweithredoedd caredig. Roedd beth ddwedoch chi'r diwrnod hwnnw yn ardderchog a dwi'n ddiolchgar i chi ac i'ch cogyddes… Duw fendithio'r wraig garedig honno a'i chalon fawr. Roedd beth ddwedoch chi'n ardderchog; ac fe fydda i'n ddyledus i chi tra bydda i byw, wrth gwrs, ond eich cogyddes chi, Olga, wnaeth fy achub i mewn gwirionedd."

"Sut hynny?"

"Fel hyn oedd hi. Fe fyddwn i'n arfer dod i dorri coed i chi ac fe fydde hi'n dechre: 'A! y meddwyn! Y dyn colledig fel ag wyt ti! Ac eto dyw marwolaeth ddim yn dy gymryd di!' ac yna fe fydde hi'n eistedd gyferbyn â fi, yn galaru, yn edrych yn y 'ngwyneb i ac yn crio: 'Y dyn anlwcus â ti! Does dim hapusrwydd i ti yn y byd 'ma, ac yn y nesa fe fyddi di'n llosgi yn uffern. Druan â ti, y meddwyn! Druan â ti, greadur trist!' ac roedd hi'n mynd mlaen fel 'na bob amser, chi'n gwybod. Roedd hi'n gwneud ei hun yn sâl, a wn i ddim faint o ddagre gollodd hi drosta i. Ond yr hyn a gafodd yr effaith fwya arna i – fe dorrodd hi'r coed i fi! Wyddoch chi, syr, na thorres i ddim un darn o bren i chi – hi wnaeth y cwbwl! Sut achubodd hi fi, sut newidiais i drwy edrych arni hi a rhoi'r gorau i yfed, fedra i ddim esbonio. Y cyfan dwi'n wybod yw bod yr hyn ddwedodd hi a'r ffordd garedig wnaeth hi fy nhrin i wedi creu newid yn fy enaid i, a wna i byth anghofio hynny. Mae'n amser i fi fynd, maen nhw ar fin canu'r gloch."

Moesymgrymodd Lushkov a mynd lan i'r galeri.

Addasiad Emyr Llywelyn

Cwtsho

Manon Rhys

Heno, heno, hen blant bach

Alla i ddim â stopo crynu. Sdim ots beth wna i, wy'n crynu nes bo'r gwely 'ma'n corco.

"Diolch byth bo ti gyda fi'n gwmni, Pwten. Mae hi'n neis teimlo dy bwyse cynnes di ar 'y nhra'd, a gwrando arnat ti'n chwyrnu'n braf. Ond mae'n rhaid i fi gadw'n berffeth lonydd achos os symuda i fe ddihuni di a phwdu a rhedeg o 'ma â dy gwt yn yr awyr."

A 'ngadel i yma ar 'y mhen 'yn hunan.

"Whare teg i Anti Nans, ontefe? Esgus o'dd hi, ti'n gwbod – gynne, pan dda'th hi miwn i weud nos da. Esgus nag o'dd hi wedi sylwi arnat ti ar waelod y gwely, yn gwmws fel mae hi wedi neud bob nos yr wthnos 'ma. 'Troi llygad ddall,' alwodd Miss Bowen e yn y wers Gymrâg ddo', a John Richards yn dweud bod un gyda'i dad-cu e ar ôl colli'i lygad iawn yn rhyw ryfel. Mae lot o bobol yn troi llygad ddall ar bethe, medde Miss Bowen.

"Pam ballodd Anti Nans ddweud stori, ti'n meddwl? A finne'n erfyn arni i ddweud yr un amdani hi a Mam yn blant bach yn dwyn pys o'r ardd ac yn ca'l poen cylla, a Mam-gu'n 'u hala nhw i'r gwely'n gynnar. Do'dd dim calon 'da hi i ddweud y stori 'na heno, nac unrhyw stori arall, medde hi."

Dim heno...

"'Na i ti wampyn o gusan fowr ges i gyda hi cyn iddi fynd! Mae'n siŵr bod ôl y lipstic 'na o hyd. Pan roiodd hi 'i breichie amdana i a 'nghwtsho i'n dynn, dynn, o'n i'n ffaelu ca'l 'yn ana'l.

"O'n i'n lico gwynt 'i sent hi. Addawodd hi roi diferyn bach tu ôl i 'nghlust i pan fydda i'n galw heibo ar ôl ysgol fory. Ac ry'n ni'n mynd i neud pice-ar-y-ma'n, a fi fydd yn ca'l 'u troi nhw ar 'y mhen 'yn hunan, heb help.

"O'dd 'i boche hi'n wlyb sopen pan gododd hi a mynd at y drws. Fe droiodd hi ata i a threial gwenu, ond llefen o'dd hi ..."

A wedyn, o'dd hi wedi mynd...

Mae hi 'di mynd ers orie. Nawr mae popeth yn dywyll.

Mae popeth yn dywyll ac yn oer, a finne'n ffaelu'n lân â stopo crynu...

"Dere 'ma, Pwten fach, i fi ga'l dy gwtsho di a rhoi maldod i ti. Gei di ddod 'da fi dan y cwilt. Fe godwn ni hi dros 'yn penne ac esgus 'yn bod ni yn y babell fach wen draw dan y goeden 'fale."

Mae hi wastad yn dwym yn y babell, yn dwym ac yn saff, a do's neb byth yn gwbod 'ych bo chi yna, dim ond i chi aros yn berffeth ddistaw...

"'Na ti, gorwedd di'n llonydd nawr, a bihafia. Ti'n styried mor lwcus wyt ti? Allwn i dy dowlu di mas o'r gwely 'ma unrhyw amser, cofia! A chic yn dy ben-ôl nes bo ti ar dy ben yn yr ardd fyddet ti'n ga'l wedyn, ontefe? Ond wna i ddim shwt beth. Achos ry'n ni'n ffrindie, on'd 'yn ni? Ti a fi, yn dwym ac yn saff gyda'n gilydd..."

Ond alla i ddim â stopo crynu... A wy bron â llefen...

Fi yw'r un ore yn y dosbarth – o'r merched – am ddala

mas heb lefen. Wy'n well na rhai o'r bechgyn hyd yn oed. Gath e Alun Wyn sterics glân bore ddo' pan ddalodd e ei fys yn nrws toilets-merched. Y babi! Do'dd dim busnes gyda fe i fod yna yn y lle cynta, medde Miss Bowen. Wy i'n gwbod pam o'dd e yna. Pipo ar nicyrs Lynwen Evans o'dd e. Hi o'dd wedi bod yn bosto amser whare 'i bod hi'n gwishgo rhai pinc posh a lês arnyn nhw, ac o'dd e wedi cwato tu ôl i'r drws i ga'l pip fach. Allwn i fod wedi dweud wrtho fe taw wasto'i amser o'dd e. Hen nicyrs nefiblŵ hyll yn llawn tylle mae hi'n wishgo bob dydd – hen rai rhacs ei wha'r sy yn fform-tŵ yn Ysgol Dre. Ych – wisgwn i mo'nyn nhw tasech chi'n fy nhalu i. Sdim rhyfedd iddi dreial twyllo'r bechgyn. Ond Alun Wyn o'dd yr unig un digon dwl i gredu'i chelwydde hi. A fe gafodd e 'i ddala'n ffêr.

O'n i'n teimlo drosto fe wrth 'i weld e'n llefen ac yn sugno'i fys fel babi bach. Ond wherthin am 'i ben e o'dd pawb arall.

Unweth erio'd wy wedi llefen o fla'n y lleill. Amser y ffeit fowr 'na gyda Robert Stevens tu cefen i'r Uned o'dd hi. Fi o'dd yn ennill yn hawdd, a 'na pam ddachreuodd e weiddi pethe cas. Es i'n grac wedyn, mor grac nes o'n i'n ffaelu dala. O'dd e'n neud sbort am fy mhen i am bo fi'n ferch, ac o'dd y bechgyn i gyd yn gweiddi gyda fe, a'r merched i gyd yn gweiddi gyda fi. O'dd hi'n shambls, yn gywir fel y reslo dwl yna ar y bocs.

Ond teimlo'r glybanieth lawr 'y nghoese roiodd ddiwedd ar y cwbwl. Fe aeth pawb fel y bedd yn sydyn. Wedyn fe bwyntodd Robert Stevens 'i fys at y pwll o'dd rhwng fy nhra'd i a dachre wherthin eto. Fe ddachreuodd pawb wherthin, y merched a chwbwl, a fan'ny o'n i â'n sane a'n sgidie'n stecs yn ffaelu'n lân â stopo llefen. O'n i isie rhedeg bant a mynd i gwato am byth...

Mae Miss Bowen wedi 'ngweld i'n llefen – yn y clôcrwm, ar ôl i bawb fynd adre. Fe dda'th hi ata i ac ishte wrth fy ochor i a gofyn beth o'dd yn bod. Ond o'n i'n llefen shwt gymint, allwn i ddim siarad. Fe roiodd hi 'i braich amdana i, a fe ddachreues i lefen yn wa'th. O'n i'n shiglo i gyd, ac yn tagu, yn gywir fel o'n i pan o'dd y pâs arna i a ches i ddim mynd ar y trip Ysgol Sul.

Lefes i am amser. Lefes i nes ei bod hi'n dywyll. A thrw'r amser o'dd Miss Bowen yn fy nghwtsho i ac o'dd ei llaw yn gafel yn sownd yn fy llaw i. Roiodd hi facyn poced i fi, un gwyn a rhosyn coch yn 'i gornel a'r llythyren 'C' odano fe. O'dd e'n facyn bach pert iawn.

O'r diwedd fe stopes i lefen a fe wedes i bo fi'n teimlo'n well er bod fy mhen i bron â hollti. Fuon ni'n dwy'n eistedd yn dawel am sbel…

Wedyn fe addawodd hi na fydde hi byth yn sôn wrth neb bo fi wedi bod yn llefen, ond fydde hi'n lico ca'l gwbod beth o'dd yn bod. O'dd hi wedi bod yn becso amdana i ers wthnose, medde hi.

Fe gymeres i anadl mowr a chau'n llyged. O'r diwedd, o'n i'n mynd i ga'l dweud wrth rywun. Ond pan ddachreues i dreial siarad, do'dd dim yn dod. O'n i'n ffaelu'n lân â dweud dim…

Fe wenodd hi a gwasgu'n llaw, a dweud wrtha i am beido becso, 'i bod hi'n gwbod beth o'dd ar fy meddwl i, a'i bod hi'n mynd i dreial 'yn helpu i.

Edryches i'n syn arni. O'dd fy nghalon i'n pwmpo achos o'n i'n gwbod yn iawn nag o'dd dim syniad gyda hi. Alle hi ddim gwbod – ac eto, falle… Gobeitho…

"Dy fam sy'n dost, ontefe," medde hi, "a ti'n becso amdani, ac yn gorffod neud lot i helpu gatre, siŵr o fod…"

'Na pryd y canodd y ffôn. Ges i gyfle i roi dŵr dros 'yn llyged. O'n nhw'n goch i gyd a wedi whyddo'n fowr...

Pan dda'th Miss Bowen 'nôl o'dd hi'n gwenu.

"Ffaelu deall lle wyt ti maen nhw. Wy wedi addo mynd â ti gartre ar unweth."

Wy'n cofio meddwl shwt allwn i fosto dranno'th bo fi wedi bod yn y car gyda Miss Bowen. Fydde Lynwen Evans yn grac ofnadw...

Symudes i ddim pan gyrhaeddon ni'r tŷ. Steddes i'n llonydd yn ffaelu tynnu'n llyged oddi ar y drws-ffrynt. O'n i'n gwbod yn iawn bo Miss Bowen yn 'yn watsho i, ond o'n i'n ffaelu'n lân â symud.

O'r diwedd, dyma hi mas i agor y drws i fi, a rhoi'i braich amdana i cyn cerdded 'da fi lan y llwybyr.

A wedyn, fe agorodd drws-ffrynt...

A wedyn, o'dd e'n sefyll 'na.

Gwenu 'nath e, a phlygu ata i a rhoi'i fraich amdana i. Wedyn fe gododd e fy llaw i at 'i foch. Do'dd e ddim wedi siafo.

Yn sydyn fe sylwes i bo Mam yn sefyll yn y ffenest. Fe droies i a rhedeg miwn ati a thowlu 'mreiche amdani. O'n i'n falch 'i gweld hi wedi codi o'r gwely. O'n i mor falch, fe ddachreues i lefen 'to. A fan'ny o'n ni'n dwy fach, Mam a fi, yn llefen ac yn cwtsho'n gilydd.

O'dd e'n dala i siarad â Miss Bowen mas wrth y car. O'n i'n gallu 'u gweld nhw drw'r ffenest, ond gweld 'u cege nhw'n symud o'n i, heb ddeall 'run gair.

Fe wenodd Miss Bowen a chodi'i llaw cyn mynd i'r car a dreifo bant.

Wedyn, fe wasgodd Mam fi'n dynn, dynn.

Wedyn fe ddaeth e miwn, ac edrych yn od arnon ni.

A wedyn, fe gaeodd e'r drws...

Dyna'r nosweth y buodd Mam a fi'n llefen drw'r nos...

"Lefes i ddim y bore yma, Pwten, er bo pawb arall yn llefen y glaw. Mam-gu, Anti Nans – o'dd *e* hyd yn o'd yn llefen, a finne wedi meddwl erio'd nag o'dd e ddim yn gallu llefen, a nag o'dd dynion ddim fod llefen. Ond fan'ny o'dd e, yn neud rhyw swne bach od yn 'i wddwg, ac yn cwato'i wyneb mewn macyn mowr gwyn. Yn rŵm ffrynt ddachreuodd e, o fla'n yr holl bobol ddierth. Lefodd e drw'r amser yn y capel a'r fynwent, ac yn y festri wedyn nes bod ei gwpan a'i soser yn shiglo. Do'dd dim stop arno fe! Ddachreues i feddwl na fydde fe byth yn stopo, ac y bydde fe'n llefen am byth!"

Ody pobol yn gallu llefen am byth? Ma'n nhw'n dweud bo rhai pobol yn llefen pan fyddan nhw isie sylw...

Llefen ar 'i phen 'i hunan fydde Mam, pan o'dd hi'n credu nag o'dd neb yn clywed. Fydde hi'n cloi drws bathrwm a llefen a llefen. Ond o'n i'n 'i chlywed hi. Bob nos o'n i'n 'i chlywed hi. Ond unweth y dele fe adre o'dd hi'n dod mas o'r bathrwm yn wên i gyd, er bod 'i llyged hi'n goch a wedi whyddo'n fowr...

"Wy'n gallu dy glywed di'n breuddwydo, Pwten. Ca'l hunlle wyt ti? Neu a o's rhwbeth yn dy fecso di, dwed? Yr hen robin goch sy'n cal sbort am dy ben di, falle, neu ody'r hen gwrcyn hyll 'na wedi dwyn dy fwyd?

"Miwsig *News at Ten* yw hwnna, Pwten. Sdim lot o amser 'da ni. Cofia, falle y byddwn ni'n lwcus heno eto. Falle 'i fod e'n cysgu; falle taw cysgu yn 'i gader 'neith e drw'r nos. Falle'r awn ni'n dwy fach lawr bore fory a fan'ny fydd e'n hwrnu yn 'i gader a'i *Sun* dros 'i wyneb. Falle, Pwten...

"Falle taw dihuno yn y bore wnawn ni a mynd lawr y

sta'r 'da'n gilydd yn ddistaw bach, a fydd e ddim yna. Falle fydd e'n cysgu'n sownd yn y gwely a fe gawn ni Frosties gyda'n gilydd yn y gegin gefen, a welwn ni mohono fe. Falle y galla i fynd i'r ysgol heb 'i weld e o gwbwl.

"Falle, Pwten... Ond wy ddim yn credu... Wy ddim yn credu am eiliad y byddwn ni mor lwcus..."

Mae e'n agor drws y cefen ac yn llusgo mas i ga'l pishad. Mae e'n rhoi cic i'r bin ar y ffordd 'nôl nes bo'r caead yn tasgu ac yn rowlo ar lawr. Mae e'n rhegi. Mae'r tŷ i gyd yn shiglo wrth iddo fe gau'r drws yn glep...

Poteli lla'th mas ar stepyn ffrynt... Bollt ar y drws... Tap bach i gloc y tywydd... Windo'r cloc mowr ar waelod y sta'r... Rhoi gole'r landin mla'n... A mae e'n dachre dringo...

"Taset ti 'mond yn ca'l aros fan hyn 'da fi, fydden ni'n dwy'n saff. Tasen ni'n dwy ddim ond yn aros yn berffeth lonydd, yn berffeth ddistaw... Ti a fi 'da'n gilydd, Pwten... Ti a fi 'da'n gilydd yn saff dan y cwilt... Yn dwym ac yn saff... Fe ofala i amdanat ti... Chei di'm hunlle wedyn."

Mae e'n hymian yn y bathrwm wrth siafo...

"Pwten, paid â cha'l ofan... Fe edrycha i ar dy ôl di, wedes i... Sdim isie i ti gyffro... Sdim isie i ti agor dy lyged na chodi dy glustie na shiglo bla'n dy gwt... Ti'n saff 'da fi... Paid ti â becso, cheith e ddim twtsh â ti.

"Fe afaela i'n sownd ynot ti... 'Na ti, aros di'n llonydd a gorwedd lawr... Chei di ddim symud... Aros yn llonydd, wedes i. Mae'n rhaid i ti... Pwten fach, paid â gwingo fel hyn... Aros 'da fi, paid â mynd. Plîs, Pwten, paid â mynd... Plîs, Pwten, paid â 'ngadel i yma ar fy mhen fy hunan... Pwten, pam grafest ti fi nawr?"

Cer 'te'r hen bitsh fach.

Mae e'n cerdded y landin.

Mae e'n diffodd y gole ac yn sefyll yn y drws.

Mae pobman yn dywyll ond wy'n gallu gweld 'i wyneb.

Mae e'n gwenu.

Mae hi'n amser cwtsho.

Cwtsho, Gwasg Gomer

Glanhau Ffenestri

Sonia Edwards

TRIP YSGOL OEDD O, trip diwrnod i Bytlins.

"Ma pawb arall yn mynd. Fi fydd yr unig un ar ôl."

Doedd y llais ddim yn swnio fel llais deuddeg oed. Roedd ynddo ormod o hiraeth.

"Os ca' i fynd, wna' i ddim swnian am ddim byd arall eto. Mi fasa'n braf cael bod 'run fath â'r lleill."

"Sut fedri di fod? Ma gin y lleill dad."

Roedd y ddau ohonyn nhw'n gwybod nad oedd angen iddi ddweud. Edrychodd y bachgen i fyw llygaid ei fam. Ers pan fu farw'i dad roeddan nhw'n llwyd, fel pe bai rhywun wedi colli dŵr am ben y glas ac wedi'i wanio. Roedd ganddo farblen yn ei gasgliad a oedd yr un lliw'n union; dim ond weithiau y byddai honno'n edrych yn las go iawn hefyd.

"A phaid ti â sbio arna' i fel 'na chwaith, yr hen gena bach. Trio gneud i mi deimlo'n euog wyt ti, mi wn i'n iawn. Dyna wyt ti 'di'i neud erioed. Wel, chei di ddim gneud hynny i mi'r tro yma. Does 'na neb yma i gadw dy gefn di rŵan, cofia!"

Fyddai hi byth yn fodlon nes ei bod hi wedi ennill. Y cryndod yn ei wefus isaf oedd ei buddugoliaeth hi. Roedd ei gwnwisg wedi'i chlymu'n llac am ei chanol ac edrychai fel anrheg wedi'i lapio'n ôl ar frys. Doedd y sidan pinc ysgafn ddim yn gweddu iddi; roedd o'n rhy hardd. Hongiai ei bronnau'n flêr tu mewn i'w choban, a theimlodd yntau'n sydyn na allai edrych arni. Llithrodd heibio iddi a chodi'i fag ysgol oddi ar y llawr wrth droed y grisiau. Roedd hi wedi anghofio'i ddeffro fo'r bore hwnnw hefyd. Ddywedodd hi ddim byd wrth iddo fynd allan; roedd hi wedi anghofio ei fod o yno.

Cychwynnodd gerdded a'i stumog yn glynu'n wag wrth ei asennau. Ceisiodd gamu'n frasach nes bod ei glustiau'n brifo a'i wynt yn dianc yn herciog o'i geg yn bycsiau bach niwlog. Roedd y bore'n damp ar ei dalcen wrth iddo rowndio'r tro i gyfeiriad Siop Elfed. Cododd ei fag yn dalog ar ei ysgwydd a phlannodd ei ddwylo yn ei bocedi cyn wynebu'r hogiau. Wrth gyrraedd arafodd ei gam. Doedd yna neb yno. Roedd y pafin tu allan i'r siop yn wag, a dim bag ysgol na phlentyn yn unman.

Safai yno ar y gornel, ei wisg ysgol yn ei wneud yn wahanol i bawb arall ar y stryd. Teimlai'n ddieithr, yn estron, a'r bws wedi hen fynd. Doedd ganddo ddim hawl i fod yno'n sefyll, a hithau'n ddiwrnod ysgol. O'r becws gyferbyn deuai aroglau bara cynnes. Meddyliodd am weddillion y dorth yn nhŷ 'i fam, torth wedi'i thorri'n barod, yn gyfleus yn ei diwyg o blastig coch. Sylweddolodd fod arno eisiau bwyd, ac roedd y bag ar ei ysgwydd yn boenus o drwm. Sychodd friwsionyn o gwsg o gornel ei lygad a'i chychwyn hi i lawr yr allt ac allan o'r pentref

Ei draed aeth â fo i gyfeiriad yr afon. Roedd hi'n gynnar o hyd ond roedd drws cefn Pen-y-bont yn agored led y pen, yn ei groesawu cyn iddo gyrraedd y tŷ. Dechreuodd redeg.

"Anti Lisi! Anti Lisi! Dach chi adra?"

Roedd o yn y pasej bach tywyll rhwng y drws cefn a'r

gegin, a gwadnau meddal ei esgidiau'n slempian yn swnllyd ar y teils cochion.

"Bobol Mawr! Lle ma'r tân? A be' wyt ti'n 'i neud yma ar ddiwrnod fath â heddiw? Sgin ti'm ysgol, dywed?"

"Colli'r bws."

Felly? Roedd y crygni yn llais Lisi'n ei atgoffa bob amser o aderyn, ond wyddai o ddim pa un. "Methu codi nath hi, ia?"

"Ia."

"Dos at y bwr'. Ma 'na banad yn y tebot."

Torth y diwrnod cynt fyddai gan Lisi bob amser. Roedd y frechdan yn denau a'r triog yn drwm ar ei dafod, yn hel surni'r bore cyntaf o'i geg. Edrychodd o gwmpas y bwrdd wrth gnoi, ar y llestri glas a gwyn, a'r cylch gwlyb lle bu'r botel lefrith. Roedd blewyn o driog wedi diferu dros y llew bach aur a serennai oddi ar ochr y tun.

"Fyddan ni byth yn cael menyn crwn yn tŷ ni."

"Estyn ato fo. Mi dorra i chwanag o fechdan."

Roedd o'n debyg i'w dad, meddyliodd Lisi. Yr un llygaid.

"Ga i aros yma nes bydd rysgol drosodd? Wnewch chi ddim deud, na wnewch?"

"Fasat ti fawr o ddŵad yma taswn i'n debyg o ddeud, na fasat?" Gwenodd yntau am y tro cyntaf y bore hwnnw.

"Biti na faswn i'n cael dŵad yma i fyw atoch chi!"

"Be ma hi wedi'i ddeud wrthat ti rŵan, 'y ngwas i?"

"Dim byd." Craffodd yn galed ar y llew bach aur.

Phwysodd hi ddim arno, dim ond rhoi mwy o fara menyn ar ei blât. Roedd brychni ar hyd ei breichiau i gyd, yn frown fel y crystyn ar y dorth. Gorffennodd ei ail frechdan, yn falch ohoni i lanhau'i wddf cyn iddo ddechrau siarad.

"Dwi ddim am gael mynd i Bytlins hefo'r lleill."

"O. Wela i."

Roedd y te'n ei gynhesu, yn cysuro'i du mewn, ac roedd yr haul eisoes wedi dod rownd at ddrws y cefn a thaflu cylchoedd bach o olau gwyn ar gochni'r llawr teils.

"Ga i neud rhwbath i helpu?" Roedd y bwyd yn ei fol a'r haul yn y pasej yn gwneud iddo deimlo'n saff. Yn rhoi iddo'i hyder yn ôl.

"Ma hi'n ddiwrnod da i llnau'r ffenestri, ddeudwn i. Be wyt ti'n 'i ddeud?"

"Iawn, a' i i lenwi'r bwcad."

Roedd o'n mwynhau rhoi'i ddwylo yn y dŵr cynnes a gwrando ar y cadach lledr yn gwichian yn erbyn gwydr. Chwysai'n braf wrth weithio, ac roedd ei gorff yn codi i'w dalcen ac yn chwalu'r boen a lechai tu ôl i'w lygaid. Ffenestri hen-ffasiwn oedden nhw a'r tywydd wedi llyfu'r paent oddi ar y fframiau coed. Dechreuodd chwibanu – un dôn o chwibanu isel, bodlon ac roedd adlewyrchiadau'r dail ar y coed tu cefn iddo'n dawnsio'n wyllt yn y gwydr glân. Teimlai ei ddwylo'n feddal ar ôl bod yn y dŵr, yn ddieithr fel dwylo geneth. Gwagiodd y bwced yn ofalus i'r clwstwr o ddalan poethion a dyfai'r ochr arall i glawdd yr ardd, a gwylio gweddillion y swigod sebon yn llithro drwy'r dail ac yn glynu wrth y gwyrddni fel llwch arian.

"Gest ti orffan, 'y ngwas i?" Roedd Anti Lisi'n gweiddi o'r drws, yn crychu'i llygaid rhag yr haul, ond yn edrych arno yntau'r un pryd.

"Do, Anti Lisi. Ew, mi oedd y dŵr ola 'na'n fudr hefyd!"

"Oedd, greda i."

"Y ffenestri ffrynt oedd futra."

"Ia. Heli oedd arnyn nhw ar ôl i'r hen wynt 'ma fod yn chwythu o'r môr."

"Heli, a rhwbath arall."

"Be felly?"

Edrychodd arni a'i lygaid yn culhau'n ddireidus.

"Cachu gwylanod."

Ac yna roedd y ddau ohonyn nhw'n chwerthin, yn gweiddi chwerthin nes bod dagrau yn eu llygaid. Pan chwarddai Lisi roedd y crygni yn ei llais yn gryfach nag arfer, yn clecian yn ddoniol yng nghefn ei gwddf. Wrth wrando arni roedd arno fwy o eisiau chwerthin.

"Anti Lisi, wyddoch chi be?" Roedd ei stumog yn brifo'n braf.

"Be, 'ngwas i?"

"Dach chi'n swnio'n debyg i dderyn!"

Sychodd hithau'i llygaid â godre'i barclod blodeuog. "Deryn? Pa fath o dderyn, neno'r Tad?"

"Wn i ddim!"

"Nid gwylan, gobeithio!"

"Naci siŵr! Un hefo llais cryg! Un mawr, ffeind."

Gafaelodd hi amdano wedyn, yn dynn, dynn, ac roedd aroglau cartrefol arni, aroglau blawd a phowdwr golchi.

"Amser panad," meddai o'r diwedd a thynnu'i braich yn drwsgl oddi amdano. "Rhed rŵan i nôl y bwcad a thyrd â hi hefo chdi i'r tŷ."

Er ei bod hi'n ddechrau haf roedd yna dân du'n mygu'n isel yng nghefn y grât. Ddywedodd yr un o'r ddau air tra oedd Lisi'n prysuro hefo'r cwpanau a'r tun te, ac yn estyn darnau o deisen siwgwr a'u rhoi ar blât o'i flaen.

"Dwi ddim yn nabod neb arall hefo lle tân yn y gegin, Anti Lisi. Dim ond y chi."

"Nag wyt, ma siŵr. Does yna fawr o dynfa ynddo fo heddiw, chwaith," meddai hithau, a phenliniodd yn llafurus i roi pwniad i'r tân du. Roedd ei gwallt yn denau, yn bluog wyn. Gallai weld croen ei chorun trwy'r cudynnau, yn binc fel bysedd babi. Toc rhoddodd y procer i lawr ac eistedd ar y stôl o flaen yr aelwyd fechan.

"Arhosan ni am funud," meddai, "i'r te gael cyfle i sefyll. Rŵan ta, dos i'r dror ucha yn y dresal ac estyn y pwrs bach du i mi, wnei di?"

Ufuddhaodd yntau. Roedd y lledr yn rhychiog ac yn feddal, fel wyneb Anti Lisi.

"Mi fydd Ŵan yma yn y munud, yn nôl ei bres glo," meddai. Rhoddodd bwniad arall i'r tân er mwyn gwneud lle i lyngyren fach o fflam wthio'i ffordd rhwng y cnapiau duon cyn cymryd y pwrs ganddo. Gwyliodd hi'n cyfri'r arian a'i osod ar ganol y bwrdd yn barod.

"Ac i ti ma hwn," meddai, a gwasgu papur pum punt i gledr ei law.

"Ond Anti Lisi..." protestiodd yntau, yn falch ac yn euog ar yr un pryd. "Anti Lisi, mae o'n..."

"Cyflog i ti," meddai, ar ei draws, "am weithio mor galad bore 'ma."

"Dim ond llnau'r ffenestri wnes i," atebodd, ond daliai'r arian yn dynn yn ei law.

"Ac mi gest ti hwyl dda ar eu llnau nhw hefyd. Rho'r pres 'na o'r golwg yn dy boced rŵan. Mi dalith am y trip 'na i Bytlins, debyg gin i."

Tywalltodd y te, a disgwyliodd yntau iddi roi'r tebot i lawr er mwyn cael rhoi'i freichiau am ei chanol a chlywed arogl y powdwr golchi ar ei dillad unwaith eto. Erbyn i'r ddau eistedd wrth y bwrdd roedd y tân wedi gafael, ac roedd haul yn llifo drwy'r ffenest lân fel pe na bai gwydr ynddi o gwbl.

"Ro'n i'n rhyw feddwl," meddai Lisi, yn estyn eto am y tebot, "gan ei bod hi wedi codi mor braf, y basan ni'n rhoi cynnig ar dwtio'r ardd gefn pnawn 'ma. Be wyt ti'n 'i ddeud, 'rhen hogyn?"

Gwenodd yntau ac amneidio'i ben. Fedrai o ddim ateb; roedd ei geg yn llawn o deisen siwgwr, teisen siwgwr wedi'i gwneud hefo menyn crwn a honno'n toddi'n gyflym ar ei dafod, yn hallt ac yn felys ar yr un pryd.

Glas Ydi'r Nefoedd, Gwasg Gwynedd

PERTHYNAS

Ddylech chi ddim gwneud pethau'n rhy rwydd iddyn nhw

Harkaitz Cano

DIM OND NAW OED oeddwn i ar y pryd, ond rwy'n dal i gofio'r dydd y daethon ni i wybod bod cynllun yr argae yn mynd yn ei flaen a bod ein tŷ ni'n mynd i gael ei foddi dan y dŵr.

Doedd dim troi 'nôl. Roedd yr holl brotestiadau a'r ceisiadau swyddogol wedi cael eu gwneud a doedd dim raid i ni aros hyd nes daeth 'Nhad mewn i'r gegin i wybod fod y penderfyniad terfynol o blaid yr argae.

Tu allan roedd hi'n bwrw glaw ac roedd sŵn traed gwlyb 'Nhad lawr y coridor yn dweud wrthon ni i baratoi oherwydd mewn ychydig wythnosau byddai'r cyfan hyn o dan y dŵr, ac fe fyddai'n anodd cerdded o gwmpas, byddai'r lliwiau a gorchuddion y dodrefn yn newid, fyddai'r golau ddim yn dod mlaen ragor achos dyw bylbiau golau ddim yn gweithio dan dŵr. *fel plentyn*

Fe wnaethon ni i gyd ymateb yn wael. Ond doedd gan 'Nhad, a oedd wedi bod ar flaen y frwydr, ddim byd i ddal gafael ynddo. Roedd pethau rhyngddo fe a Mam ddim wedi bod yn dda ers amser, ac fe fyddai llwyddo i atal

'gafael' noder y stori wedi'i saernïo'n dda gyda geiriau yn ailymddangos ar y diwedd fel adlais o'r dechrau

y gorchymyn i lanw'r argae efallai rywfodd wedi bod yr unig ffordd i arbed y dilyw teuluol. Roedd 'Nhad a Mam yn gwybod hynny'n iawn, ac roedd y sŵn traed yn dod yn araf i lawr y coridor yn dynodi diwedd cyfnod.

Wrth gyhoeddi dyfodiad y dyfroedd dechreuodd 'Nhad foddi ei hun mewn hylif o fath gwahanol, gadael ei sgidiau gwlyb yn y cwtsh glo yn y gegin, a dweud gyda golwg ddu ar ei wyneb o'r dydd hwnnw ymlaen, "Rydyn ni wedi gwneud pethau'n rhy rwydd iddyn nhw". "Rydyn ni wedi gwneud pethau'n rhy rwydd iddyn nhw," meddai eto. Ac fe ddaeth i mewn i'r gegin ac fe edrychon ni'n syn arno, ac fe wnaeth fy chwaer, sy ychydig o flynyddoedd yn iau na fi, adael y gegin a dod 'nôl yn fuan wedyn yn dal y bowlen pysgod a gafodd ar ei phen-blwydd. Edrychai fel angyles yn dal y fowlen honno gyda dau bysgodyn aur yn nofio ynddo.

"Beth sy'n mynd i ddigwydd i Tom a Jeri?"

Aeth Mam ymlaen at fy chwaer a mwytho'i phen. Cofleidiodd hi a chrio. Ac roeddwn i'n meddwl, gan fod yr un sy'n cael ei gofleidio yn methu ein gweld, y gallai cofleidio fod yn ffordd o guddio yr hyn rydyn ni'n ei feddwl neu ei deimlo'r funud honno.

"Fe allan nhw aros, Isabel. Fe allan nhw aros."

A dyna'n gywir a ddigwyddodd. Fe adawodd 'Nhad yn fuan wedyn. Welais i ddim ohono fe wedyn. Fe gymrodd hi ychydig wythnosau i ni bacio popeth mewn blychau cardfwrdd a symud i dŷ ein modryb. Roedd y cyfan o'n bywyd am sawl blwyddyn wedi'i bacio mewn bocsys cardfwrdd ar ben ei gilydd yn garej fy modryb: y lluniau, y dodrefn, y lampau a phethau eraill. Popeth mewn bocsys cardfwrdd. Bryd bynnag y byddai fy chwaer neu fi'n gofyn am hen degan, byddai Mam bob amser yn dweud, "Fydd e'n un o'r bocsys, cariad, fe edrycha i amdano fe tro nesa bydda i'n mynd lawr 'na". Yn y cyfamser fe fydden ni'n anghofio am y tegan arbennig. Mae anghofio teganau yn wers dda ar gyfer bywyd. Ond wnaethon ni ddim pacio popeth mewn bocsys i fynd i ffwrdd. Fe arhosodd Tom a Jeri, y ddau bysgodyn aur ar ôl, yn nofio o gwmpas eu bowlen yn disgwyl am lawer mwy o ddŵr.

Safodd neb ar doeon eu tai na chadwyno eu hunain wrth eu tai. Fe adawon ni i gyd y pentref yn dawel. O leia, fel yna rwy i'n cofio pethau. *Felly... rhy rhydd...?*

Er i hyn i gyd ddigwydd amser maith yn ôl, mae'n anodd anghofio'r fath bethau'n llwyr. Os yw eich tŷ dan ddŵr, fe fydd rhan ohonoch chi yn aros dan dŵr am byth; ble bynnag y byddwch chi'n syllu i ddyfroedd tywyll, fe fyddwch chi'n ceisio dyfalu pa drysorau sy'n gorwedd yn y dyfnder.

Rwy'n byw mewn tre ar lan y môr nawr a dw i ddim yn gwybod pam, ond y dyddiau hyn yn fwy nag erioed rwy'n cofio'r bocsys cardfwrdd, y pysgod aur, sgidiau gwlyb 'Nhad a bod ein blynyddoedd ni nawr o dan y dŵr. Rhaid bod *enw ansoddair eiriol* dicter Laura rhywbeth i'w wneud â'r peth. Mae gyda fi fy ffyrdd bach digri, obsesiwn afiach gyda bocsys cardfwrdd, cael y car allan am dri yn y bore a mynd i bysgota, pethau fel yna. *Caun nybod bod dicter gan Laura Pam?*

Mae gyda hi ei phethau hefyd; ei chariad aruthrol at y sinema, er enghraifft. Ac mae hi wedi cael yn ei phen bod yn rhaid i ni briodi. Mae hi'n gwybod yn iawn 'mod i'n credu fod cael papurau a thystysgrifau swyddogol i roi sêl ar gariad yn rhywbeth diwerth, diangen – dyw hi ddim eisiau clywed am y peth, ond mae swyddfa ynad heddwch ac eglwys fy mhentref genedigol o dan y dŵr; dy'n nhw'n ddim ond papur gwlyb – ac mae hi'n gwybod hefyd fod gan bob person ei ddelweddau a'i atgofion yn ei ben, a fy

awgrymu bod pob defod etc a gafwyd yn ddiwerth am fod y pentref a'i "bywyd" dan ddŵr.

89

dyma pam nad yw
am briodi

mod i'n cofio sut gwnaeth 'Nhad ollwng ei fodrwy briodas i mewn i fowlen pysgod fy chwaer cyn gadael, a sut gwnaeth Tom a Jeri dasgu i ffwrdd mewn dychryn pan suddodd y fodrwy i'r gwaelod.

Dy'n ni ddim wedi siarad â'n gilydd ers tri diwrnod. Rwy'n dweud wrthi mod i'n mynd i bysgota. Y bydda i ar y lanfa. Yna rwy'n bangio'r drws i selio fy ffarwél. Dyna'r ffordd. Mae bangio'r drws yn llawer mwy effeithiol na phapurau a thystysgrifau swyddogol i osod sêl ar bethau. Roedd Laura'n cael coffi ac ar ôl i fi fangio'r drws meddyliais innau y byddai tonnau o gryndod yn cael eu cynhyrchu yn y ddiod yn ei chwpan. Llongddrylliad y rwtîn dyddiol yn y tai pren gwael rydyn ni'n byw ynddyn nhw.

Fe roddais i'r llinellau pysgota, bachau, gwialen bysgota a'r pethau eraill yng nghefn y car a throi'r radio ymlaen ar y ffordd i'r lanfa. Hwnnw'n dweud bod corff dyn saith deg oed wedi boddi wedi dod i'r golwg yn yr argae. Rwy'n teimlo cryndod lawr fy nghefn. Dw i ddim yn gwybod pam ond rwy'n credu ei bod yn rhaid mai 'Nhad yw'r dyn sy wedi boddi. Rwy'n meddwl am hynny pan wela i ferch fach yng nghanol y ffordd. Neu'n hytrach dw i ddim yn ei gweld hi. Rwy bron â mynd drosti. Mae'r ferch fach yn cario potel laeth ac mae honno'n torri'n fil o ddarnau. Rwy'n gwasgu ar y brêc yn galed ac yn neidio allan o'r car mewn eiliad. Wrth i fi edrych ar y botel yn deilchion rwy'n teimlo bod rhywbeth yn fy mwrw i. Mae'r ferch wedi dychryn. Ac rwy'n gwybod mai 'Nhad yw'r dyn sy wedi boddi yn yr argae.

"O Dduw mawr! Chi'n iawn?"

Dyw'r ferch ddim yn dweud gair. Mae hi'n syllu ar y botel wedi torri yng nghanol y ffordd. Mae'r tarmac yn ludiog. Rwy'n mynd gyda hi i'r siop ac yn prynu un arall iddi hi. Mae hi'n edrych arna i ac rwy'n cofio am fy chwaer. Dw i ddim wedi ffonio fy chwaer ers oesoedd, ddim hyd yn oed i ddweud, "Hei, sut mae pethau?" Rwy hefyd yn teimlo awydd ysol i siarad â Laura. Yn araf rwy'n gyrru i'r harbwr ac yn ffonio o flwch ffôn ar y lanfa.

"Rhaid i ti ddod Laura, rwy ar y lanfa."

"Gawn ni weld," meddai hi. Ond rwy'n gwybod y bydd hi'n dod. Rwy'n paratoi'r bachyn ac yn disgwyl. *aw g nymu*

Mae hi'n dod mewn rhyw hanner awr gyda golwg ddifrifol ar ei hwyneb ac yn gwisgo trowser tyn. Heddiw, rwy ar ben pella'r lanfa, oherwydd rwy'n hoffi gweld y ffordd mae hi'n cerdded. Pan ddaw hi ata i dyw hi ddim yn dweud gair.

"Fues i bron â lladd merch fach gyda'r car, Laura."

Mae hi'n sylweddoli fy mod i'n crynu. Dyw hi ddim yn gwybod pam, ond mae hi'n meddwl ei bod hi.

"Na, chafodd hi ddim dolur. Dim ond ei dychryn yn ofnadwy. Ac fe chwalodd y botel laeth yn fil o ddarnau." *ail adrodd*

Mwythodd hi fy ngwddf. Yna edrych ar y fasged bysgota wag. Mae hi'n gwenu.

"Dy'n nhw ddim yn gafael heddiw, ydyn nhw?" *gafael*

"Ddim ar fy machyn i, beth bynnag. Rho di drei arni os wyt ti eisiau."

Rwy'n rhoi'r wialen iddi hi. Mae hi'n syllu ar y llinell. Dyw'r llinell ddim yn cyrraedd y dŵr. Mae hi'n sylwi ar gymaint â hynny, er gwaethaf y nam ar ei golwg. Mae hi'n crychu ei thalcen mewn syndod.

"Ond dyw'r llinell dim yn cyrraedd y dŵr."

"Dylech chi ddim gwneud pethau'n rhy rwydd i'r pysgod."

Mae hi'n gwenu eto.

"Rwy'n mynd i dafarn Ger nawr i gael peint o gwrw. Wyt ti'n moyn rhywbeth?"

"Pecyn o 20 sigarét."

Rwy'n mynd i dafarn fy ffrind, Ger. Mae Laura yn meddwl fod rhywbeth mlaen gyda fi. Dyw hi ddim yn dwp. Wrth i fi gerdded rwy'n ceisio dyfalu faint o amser fydd hi'n ei gymryd iddi dynnu'r wialen i mewn a gweld y fodrwy sydd yn lle bachyn. Pump, pedwar, tri, dau, un. Rwy'n hoffi'r sŵn mae'r wialen yn ei wneud pan fydd yn cael ei dirwyn i mewn: mae'n fy atgoffa o'r hen gamerâu *cine* yna. Taflunydd *cine*. Roedd un gan Mam yn y garej mewn bocs cardfwrdd. Ac mae Laura yn dwli ar y sinema.

"Peint o gwrw ac 20 sigarét, os gweli di'n dda, Ger."

"Ydyn nhw'n gafael heddiw?" *gafael*

"Nawr ac yn y man, Ger. Dim ond nawr ac yn y man."

Addasiad Emyr Llywelyn

Moelwyn Wy Melyn

Eigra Lewis Roberts

persanlat

MAE'N GAS GEN I hen bobol. Does gen i fawr i'w ddeud wrth blant na phobol ifanc chwaith, nac isio dim i neud efo nhw mwy nac efo'r petha canol oed nad ydyn nhw'n siŵr i bwy nac i ble maen nhw'n perthyn. A deud y gwir, dydw i ddim yn rhy hoff o neb ond Stan, a hynny ddim ond ar adega.

Fydda 'na ddim collad ar ei ôl o na finna. Ond mae hynny'n wir am y rhan fwya o bobol, o ran hynny. Mi dw i'n fwy o werth i Stan nag ydi o i mi gan mai'r pres yr ydw i wedi'i gelcio sy'n talu am do uwch ein penna a bwyd yn ein bolia ni. Ro'n i'n arfar meddwl y bydda'n haws i mi neud hebddo fo na fo hebdda i, ond dydw i ddim mor siŵr erbyn rŵan. Pan ddeudis i wrtho fo mai mynd efo'n gilydd fydda ora i ni, dyna fo'n gofyn,

"Mynd i lle d'wad? Mi dw i'n iawn lle'r ydw i."

Mi oedd hi'n o chwith iddyn nhw hebdda i ym Mryn Melyn, reit siŵr. Pwy arall fydda'n barod i slafio yn y gegin 'na yn paratoi bwyd babi i hen bobol? A neb ddim mymryn mwy diolchgar. O leia, do'n i ddim yn gorfod mynd yn rhy agos atyn nhw. Gorfod i mi lusgo un ohonyn nhw i'r lle chwech un dwrnod pan nad oedd 'na neb arall ar gael. Wedi iddi orffan gneud ei busnas, dyna hi'n troi'i thin ata i.

"Mi dach chi fod i'n sychu i," medda hi.

"Sychwch 'ych hun, o gwilydd," meddwn inna, a'i gadal hi yno. Mi ges i dafod iawn gan Metron ond cau ei cheg wnaeth hi pan ddeudis i fod gorfod gofalu am un pen iddyn nhw'n ddigon.

A' i byth yn agos i'r un Bryn Melyn. Mi wnes i ofyn i Stan addo rhoi diwadd arna i unwaith y bydda i'n rhy hurt i allu edrych ar f'ôl fy hun.

"Dw't ti ddim isio 'ngweld i'n gorffan f'oes yn y clinc, w't ti?" medda fo. *tafodiaith*

Pan ddeudis i na fyddwn i'm mymryn callach lle bydda fo mi wylltiodd yn gacwn a 'ngalw i'n hen gnawas hunanol.

Does ganddo fo a finna neb ond ein gilydd. Mi fuo gen i ryw fath o deulu unwaith, ac roedd gan Stan fam a thad wrth gwrs, fel pawb arall, neu fydda fo ddim yma. Ond welodd o rioed 'run ohonyn nhw. Mi fyddwn inna wedi bod yn well allan heb y rhai oedd gen i. Hogan fach blaen o'n i, un ddigon hyll a deud y gwir. Mi fydda 'Nhad yn deud fod Mam wedi dŵad â babi rhywun arall adra o'r ysbyty mewn camgymeriad. Mi faswn i'n licio gallu credu hynny. Ond rydw i wedi gwella ryw gymaint wrth heneiddio, yn wahanol i Stan. Pan ddois i o hyd i'r llun o griw o blant yn sefyll ar y stepia y tu allan i'r Cartra, mi fu'n rhaid i mi ofyn i Stan pa un oedd o. Fo oedd y dela yno, un y bydda unrhyw fam gwerth ei halan yn gwirioni arno fo.

"A pwy ydi hwn?" medda fi, a phwyntio at y dyn oedd yn sefyll ar y stepan ucha a golwg 'welwch chi fi' arno fo fel 'tasa fo pia bawb a phob dim.

Atebodd Stan mohona i, dim ond cipio'r llun oddi arna i. Meddwl o'n i ei fod o wedi digio am i mi fethu'i 'nabod. Ond mi wn i'n wahanol rŵan.

Pan oedd o mewn hwylia, mi fydda'n dŵad i 'nghyfarfod i at Bryn Melyn. Fentrodd o ddim pellach na'r giât, ond mi fydda'n codi'i law ar Miss Williams fach, oedd yn ista gyferbyn â'r ffenast. Teimlo'n ddigon saff i allu gneud hynny, debyg, gan fod digon o belltar rhyngddyn nhw. Mi fyddwn i'n arfar galw i ddeud ta ta wrthi amball bnawn. Biti drosti oedd gen i, am wn i. Dim ond dros dro oedd hi yno, medda hi, nes y bydda hi wedi gwella ar ôl y godwm. Roedd ganddi gymaint o obaith dengyd ag sydd gen bry bach o ddŵad yn rhydd o we pry copyn. Welis i rioed neb yn gadal y lle 'na ar ei draed.

"Dyn clên ydi o 'te," medda hi.

"Pwy 'lly?"

"Yr un sy'n dŵad i alw amdanoch chi."

Mi fedrwn i feddwl am lawar o eiria i ddisgrifio Stan, ond doedd clên ddim yn un ohonyn nhw.

"Fo ydi'ch cariad chi, ia?"

Sut medra rhywun nad oes ganddi hi syniad be ydi cariad atab cwestiwn fel'na?

"Mi fuo gen inna gariad unwaith."

"Mae 'na ryw ogla da iawn arnoch chi," medda fi, er mwyn troi'r stori.

"Dŵr lafant… lavender. Fydda i byth hebddo fo."

Pan oeddan ni ar ein ffordd adra un pnawn dyna Stan yn gofyn,

"Pwy ydi'r ddynas 'na sy'n gwenu arna i drwy'r ffenast?"

"Miss Williams fach."

"Mi dw i'n siŵr y dylwn i 'i nabod hi, 'sti."

Dydi Stan yn nabod neb ac anamal y bydd o'n sylwi ar

ddim. Sut medar o ac ynta'n rhygnu cerddad efo'r cloddia a'i ben i lawr? Felly byddwn inna ers talwm. Ddim isio gweld neb nac am iddyn nhwtha 'ngweld i. Mi dw i wedi gorfod dysgu dygymod, ond mae hi'n rhy hwyr i Stan allu gneud hynny.

Anghofia i byth mo'r dwrnod y gwelson ni'r dyn oedd yn y llun. Mi wnes inna ei 'nabod o'n syth bin, er mai dim ond cip o'n i wedi'i gael arno fo. Mwy o fol a lot llai o wallt, ond yr un olwg 'welwch chi fi', fel 'tasa fo'n disgwyl i bawb gamu o'i ffordd o. Cythru am fy mraich i wnaeth Stan, a 'nhynnu i ddrws siop. Roedd o'n crynu fel deilan a chwys yn diferu ohono fo. A'r noson honno fe gafodd o'r hunlla mwya uffernol. Dydw i ddim yn dychryn yn hawdd, ond mi ges i lond twll o ofn. *tafodiaith*

Roedd o allan, drwy drugaradd, pan alwodd un o'r hogia oedd yn y Cartra yr un pryd â fo. Gen hwnnw y ces i'r hanas. Mi wn i be ydi bod yn gleisia drosta ond ches i rioed fy hambygio fel cafodd Stan ac ynta. Pan ofynnis i pam na fyddan nhw wedi cwyno, dyna fo'n gofyn,

"Cwyno wrth bwy, mewn difri?"

"Bòs y Cartra 'te."

"Roedd o'n un ohonyn nhw, doedd," medda fo, a dagra mawr yn powlio lawr ei focha.

Fedrwn i ddim diodda hynny a mi ddeudis i wrtho fo am ei heglu hi odd'ma a gadal llonydd i Stan a finna.

Fe welodd Miss Williams fach fi'n mynd heibio i'r stafall un pnawn a galw arna i.

"Mi dach chi wedi bod yn ddiarth iawn, 'mach i," medda hi, fel 'tasan ni'n hen ffrindia.

Pa hawl oedd ganddi i feddwl fod gen i amsar i'w dandwn hi?

"Yma i weithio rydw i."

"Rydan ni'n lwcus iawn ohonach chi."

Dyna'r tro cynta rioed i rywun gyfadda hynny, er ei fod o ddigon gwir.

"I chi mae hon, i ddiolch am edrych ar f'ôl i."

A dyna hi'n estyn potal o'r dŵr o'i bag. Wyddwn i ddim be i ddeud. Dydw i rioed wedi cael diolch, heb sôn am bresant.

"Chi ddeudodd 'ych bod chi'n licio'r ogla, 'te. Hwn oedd ffefryn Henry hefyd."

Do'n i ddim isio gwbod, ond roedd hi'n benderfynol o gael deud. A fedrwn i ddim codi a gadal yn hawdd, a hitha newydd roi presant i mi. Roedd yr Henry 'ma wedi gofyn iddi ei briodi o, ond gwrthod ddaru hi, medda hi. Teimlo nad oedd hi'n ddigon da a ddim isio sefyll yn ei ffordd o ac ynta mewn swydd mor bwysig.

"A sut mae'ch cariad chi?" medda hi. "Dydw i ddim wedi'i weld o ers sbel."

Wnes i mo'i hatab hi. Pam dylwn i? Doedd nelo hi ddim byd â Stan a fi. Roedd o wedi bod yn moedro mlaen am Miss Williams fach ers dyddia, dal i ddeud y dyla fo'i 'nabod hi. Anamal iawn y bydd Stan yn meddwl ac roedd y straen yn dechra deud arno fo. Roedd o am i mi ei holi hi, un o ble oedd hi a rhyw gybôl felly. Do'n i ddim yn bwriadu gneud ffasiwn beth. A rhag ofn iddo fo gael ei demtio i ofyn, er na fedrwn i mo'i ddychmygu o'n gneud hynny, mi ddeudis 'mod i'n ddigon ffit i ffeindio fy ffordd adra ac nad oedd angan iddo ddod i 'nghyfarfod i.

Sonias i 'run gair am y botal. Ond wrth i mi dynnu 'nillad y noson honno mi fedrwn i ogleuo drewdod Bryn Melyn arnyn nhw. Er i mi eu taflu nhw i gornal bella'r stafall, ro'n i'n dal i allu ei ogleuo fo ar fy nghroen, yn fy ngwallt, o dan fy ngwinadd. Doedd gen i ddim amynadd aros i'r tanc lenwi er mwyn cael bath a mi rois i blorod mawr o'r dŵr-ogla-da y tu ôl i 'nghlustia, rhwng fy mronna ac ar y gobennydd. Roedd Stan i lawr grisia yn syllu ar y teli fel bydd o, heb fod ddim callach be sy'n digwydd. Y peth ola rydw i'n ei gofio cyn syrthio i gysgu ydi clywad Miss Williams fach yn deud, "Hwn oedd ffefryn Henry."

Y sgrechian ddaru 'neffro i. Roedd Stan yn pwnio'r gobennydd fel 'tasa fo wedi colli arno'i hun ac yn gweiddi ei fod o'n cofio, drosodd a throsodd. Ches i ddim mymryn o synnwyr pan ofynnis i, "Cofio be?" Os nad ydi rhywun yn deud, does 'na ddim byd fedar rhywun ei neud ac ro'n i'n falch o'i weld o'n gadal am y llofft sbâr fel 'mod i'n gallu diffodd y gola. Mae Stan yn mynnu ei adal o 'mlaen drwy'r nos, ond fi sy'n gorfod talu'r bil lectric.

Pan gyrhaeddis i adra drannoeth doedd 'na 'run cerpyn ar fy ngwely i. Roedd Stan wedi llosgi'r cwbwl. Doedd 'na ddim golwg o'r botal chwaith. Mi gymris i fath, mor boeth ag y medrwn i ei ddiodda, a sgrwbio pob ogla oddi arna i. Er nad o'n i'n dallt pam ar y pryd, mi wyddwn mai dyna oedd raid i mi ei neud.

Mi gadwis i 'mhelltar oddi wrth Miss Williams fach ar ôl hynny. Ond dyna lle'r oedd hi un bora, yn y gegin yn aros amdana i. Wn i ddim sut medrodd hi gyrradd yno.

"Mae Henry yma, Janet," medda hi.

Roedd 'na olwg wirion arni, fel 'tasa hi wedi dechra hurtio. Dyna sy'n digwydd hyd yn oed i'r calla ohonyn nhw unwaith maen nhw'n gadal y byd y tu allan. Y cwbwl ro'n i isio oedd ei chael hi o'r gegin ac o 'ngolwg i.

"Mae o yma," medda hi wedyn. "Dowch."

Ond roedd yr ymdrach i gyrradd wedi bod yn ormod iddi a prin medra hi roi un troed o flaen y llall. Doedd gen i ddim dewis ond gadal iddi roi ei phwysa arna i. Fel roeddan ni'n llusgo dowdow ar hyd y coridor, fe ddaeth un o'r merchad heibio ac mi ofynnis iddi fynd â Miss Williams yn ôl i'w stafall.

"Ddim rŵan, Janet," medda hi. "A well i chi frysio os ydan ni am ga'l cinio heddiw."

Do'n i ddim am fynd gam ymhellach na'r drws. Rhyngddi hi a'i phetha wedyn. Doedd gen i ddim tamad o ddiddordab yn yr Henry 'ma. Os oedd 'na'r fath un yn bod. Gweld petha nad ydyn nhw'n bod y bydd hen bobol, heb allu gweld be sy dan eu trwyna nhw. Ond roedd y drws yn llydan agorad, ac mi welis inna fo. Roedd o'n ista ar y gadar uchal a'i gefn at y ffenast, ei goesa'n hongian drosodd a'i draed heb gyffwrdd y llawr. Dipyn mwy o fol a 'run blewyn o wallt. Hen gariad Miss Williams fach. Y dyn yn y llun.

"Ma'n rhaid i mi fynd," medda fi, a'i g'leuo hi odd'no. Mi fuo ond y dim i mi gerddad allan, heb ddeud gair wrth neb. Sut medrwn i fod yn gyfrifol am gadw dyn oedd wedi andwyo Stan yn fyw drwy'i fwydo fo, ddwrnod an ôl dwrnod? Sut medrwn i gymryd arna fod pob dim 'run fath ag arfar, gneud yn siŵr nad oedd Stan yn ama dim? Am fod yn rhaid i mi, er fy mwyn fy hun, ac er mwyn trio dal gafal ar y 'chydig sydd ganddon ni. Ac aros yno yn fy nghegin wnes i, yn tendio arno fo o belltar, ac o 'ngho efo fi fy hun. Mi glywis i'r merchad yn prepian ei fod o'n taflu'i bwysa o gwmpas, fel 'tasa fo pia pawb a phob dim. Mi fedrwn fod wedi deud wrthyn nhw mai un felly roedd o wedi bod rioed, ond wnes i ddim.

Metron ddaeth i ddeud wrtha i fod Miss Williams fach isio 'ngweld i.

"Mi dw i'n brysur," medda fi.

Anwybyddu hynny ddaru hi. Hi fydda 'di cwyno fwya 'tasa'r cinio'n hwyr. Ond doedd hi ddim isio sathru traed yr hen bobol a nhwtha'n talu'n dda am eu lle.

"Does gen i ddim byd yn erbyn i chi a Miss Williams fod yn ffrindia," medda hi. "Ond mae'n bwysig fod pawb yn cael yr un sylw, dydi?"

"Mi a' i ar ôl gorffan plicio'r tatws 'ma."

"Na, ewch rŵan, Janet. A gofalwch nad ydi hyn ddim yn digwydd rhy amal."

Roedd Miss Williams yn ista yn yr un gadar ag arfar, yn wynebu'r ffenast a'r gadar uchal, ond doedd o ddim yno, drwy drugaradd.

"Wel, be oeddach chi'n 'i feddwl o Henry?" medda hi.

Do'n i ddim mewn hwyl i ddal pen rheswm efo neb a fedra hi ddim fod wedi gofyn 'run cwestiwn gwaeth.

"Dim," medda fi. "Fo oedd yn edrych ar ôl y cartra plant 'te."

"Ac yn meddwl y byd ohonyn nhw."

"Mwy nag ohonoch chi. Ond 'na fo, roedd yn well ganddo fo hogia bach, doedd?"

Chymrodd hi ddim sylw o hynny, dim ond deud fel roedd hi wedi sylwi pan fydda'n galw yn y Cartra mor ffeind oedd Henry wrth yr hogia a pha mor ofalus oedd o ohonyn nhw, ac wedi sylweddoli na fydda hi'n ddim ond rhwystr iddo fo efo'i waith.

"Dydi o ddim wedi madda i mi am hynny," medda hi. "Mae o'n cymryd arno nad ydi o'n fy nghofio i. Ond mi ddaw ato'i hun."

"Roeddach chi'n well allan hebddo fo," meddwn inna.

Ro'n i'n teimlo fel taswn i ar fygu a'r ogla dŵr 'na'n llenwi fy ffroena i. Dyna fi'n croesi at y ffenast ac yn ei hagor hi ryw fymryn, digon i adal chwa o awyr iach i mewn ac i f'atgoffa i fod 'na fyd y tu allan.

"Mi oedd Metron o'i cho efo chi am alw amdana i," medda fi.

"Tewch â deud. Wna i ddim eto."

Dim ond unwaith y gwelis hi wedyn, yn y gwasanaeth gafodd ei gynnal ym Mryn Melyn i gofio Henry Davies. Doedd o wedi bod yno fawr, ond mae pobol bwysig fel fo'n gadal mwy na chadar wag ar eu hola. Roedd y dyn colar gron yn ei ganmol o i'r cymyla am roi oes o wasanaeth i ofalu am blant amddifad a'u helpu nhw i wynebu bywyd. A Miss Williams fach yn nodio ac yn gwenu. Ond doedd hi ddim yn gwenu pan afaelodd hi'n fy mraich i wrth i mi basio.

"Ddylach chi ddim fod wedi gneud hynna, Janet," medda hi.

"Gneud be 'dwch?"

"Agor y ffenast. Dyna sut gafodd Henry'r annwyd 'na, a hwnnw'n troi'n niwmonia a'i ladd o."

"Pam na fasach chi wedi'i chau hi 'ta?"

"Mi wnes i drio, ond doedd gen i mo'r nerth."

"Ydach chi'n siŵr eich bod chi wedi trio ddigon calad?"

"Mae ganddoch chi hen dafod brwnt, Janet," medda hi.

"'Di ca'l 'i hogi'n dda mae o."

Roedd hi wrthi'n estyn y botal o'i bag pan gerddis i allan. Allan o'r stafall, ac allan o Fryn Melyn, am byth.

Mae'n hi'n dal yno, mae'n siŵr. Ro'n i'n teimlo'n ddigon annifyr am sbel wedi i mi adal, ofn y bydda hi wedi achwyn amdana i wrth Metron. Ond mi fydda'n rhaid i honno gyfadda wedyn na sylwodd neb fod y ffenast yn gorad. Falla mai fi agorodd hi, ond mi fedra unrhyw un ohonyn nhw fod wedi'i chau. Mi dw i'n falch 'mod i wedi gneud, ac na wnaethon nhw ddim. Ac os oedd o'n gallu teimlo'r drafft, doedd 'na ddim byd i'w rwystro rhag cwyno, yn wahanol i'r hogia.

Dydi Stan yn gwbod dim am y sglyfath dyn gafodd le dros dro ym Mryn Melyn na fel y ces i 'nhemtio fwy nag unwaith i roi gwenwyn yn ei fwyd o. Ond roedd 'na un peth oedd yn rhaid i mi ei neud.

"Tyd â'r llun o'r Cartra i mi," medda fi.

Gwrthod wnaeth o i ddechra a deud na fedra fo ddim diodda edrych arno fo.

"Wn i," medda finna. "A fydd dim rhaid i ti byth eto. Weli di byth mo'r dyn 'na chwaith. Mae o'n llwch erbyn rŵan."

Ofynnodd o ddim sut o'n i'n gwbod. Dim ond derbyn, ac estyn y llun. Mi rwygis inna fo ar draws ac ar hyd, mor fân fel na fedra Neb ei roi o at ei gilydd wedyn.

Drannoeth, fe ddaeth â llond dwrn o friallu i mi. Wedi'u gweld nhw'n tyfu wrth fôn y clawdd, medda fo. Maen nhw wedi bod yno bob gwanwyn ers pan ydw i'n cofio. Mi ddylwn fod yn falch ei fod o wedi dechra sylwi, ond dydw i ddim.

Oni Bai, Gwasg Gomer

Buddugoliaeth Alaw Jim

Kate Roberts

NI DDIGWYDDASAI'R STORI HON oni bai i'r wraig gael y gair cyntaf ar ei gŵr. Yr oedd hynny mor groes i feddyliau Morgan pan ruthrai allan o'r cae rasus milgwn ac Alaw Jim wrth ei sawdl. Nid oedd arno ofn mynd adre heddiw, diolch i Alaw Jim. Gallai roi papur chweugain ar y ford i Ann wneud fel y mynnai ag e. Gwnâi hynny iawn am iddo esgeuluso ei ddyletswyddau ar hyd yr wythnos. Mwy na hynny, yr oedd Alaw Jim yn dechrau talu amdano'i hun. A phe nad enillasai'r ras heddiw, yr oedd yn werth, ym meddwl Morgan, ei weld yn rhedeg ar hyd y cae, ei ben yn ymestyn ymlaen, ei groen yn tynhau am ei ais, ac yntau'n symud mor llyfn â chwch ar afon.

Ond roedd gweld y pen hwnnw'n ymestyn o flaen yr holl bennau eraill ar y terfyn bron yn ormod i ddyn gwag o fwyd fel Morgan. Ail-fyw'r foment honno a wnâi yn awr wrth gerdded adref, a rhôi ei galon yr un tro ag a wnaeth ar y cae. Credai fod rhedeg milgi yn talu'n well na rhoi swllt ar geffyl, er mai â'r arian a enillodd ar geffyl y prynodd y ci hwn. A chau llygad ar yr ochr ariannol am funud, yr oedd mwy o bleser o gadw ci at redeg. Pa werth oedd mewn rhoi swllt ar geffyl ac yntau heb byth weld y ceffyl hwnnw'n rhedeg? Ni châi ei regi pan gollai ei swllt iddo, na'i ganmol pan ddeuai â swllt neu ddau i'w boced. Fel yna y teimlai Morgan yn awr ar ôl cael ci. Fel arall y teimlai cyn ei gael. Yr amser hwnnw, yr oedd yn werth rhoi swllt ar geffyl, petai'n rhedeg fel iâr, os oedd ganddo siawns o ddyfod â swllt arall iddo at ei swllt cyntaf.

O'r dydd y dechreuodd chwarae hap ar geffylau, ni pheidiodd â gobeithio y deuai ffortiwn Rockefeller iddo ryw ddiwrnod. Deuai siawns felly ar draws rhai o hyd, a pham na allai Morgan fod yn un ohonynt rywdro? Yr oedd Ann yn dwp hefyd, yn ffaelu gweld hyn, ac yn dannod iddo'i swllt wythnosol ar geffyl, yn lle dal i obeithio fel y gwnâi ef. Wedi'r cyfan, beth oedd swllt allan o arian y dôl, os oedd siawns i wneud i ffwrdd â phob dôl iddo ef am byth wedyn? Yn wir yr oedd dynion yn dwp. Yr oedd Morgan wedi hen ddiflasu ar y siarad diddiwedd yna yng nghyrddau'r di-waith, yn protestio yn erbyn y peth hwn a phrotestio yn erbyn y peth arall a neb heb fod fawr gwell allan. Dyna oedd yn dda mewn ci. Ni allai siarad, a deuai ei fudandod â mwy o arian na holl siarad cynghorwyr a phobl a oedd am fod yn gynghorwyr.

Trotiai gwrthrych meddyliau Morgan wrth ei ochr, bron cyn ddistawed â chath, a'i bawennau'n clecian yn ysgafn ar yr heol galed. Yr oedd ei berchennog, o hir dlodi, yn ddigon ysgafn ei gorff, ond rhygnai ei sgidiau di-sawdl ar y palmant. Yr oedd ganddo gap tyn am ei ben a chrafat am ei wddf, ond nid oedd côt uchaf ganddo. Ni feddai'r un. Ond yr oedd yn berffaith hapus. Daeth i'w feddwl brynu rhywbeth i fynd adref i de. Buasai Ann a Tomi wrth eu bodd. Ond fe dorasai hynny ar gyfanrwydd y papur chweugain. Yr oedd am i Ann gael gweld gwerth Alaw Jim.

Yn 364 Darwin Road, eisteddai Ann a Tomi wrth dewyn o dân yn y 'rŵm genol'. Roedd y ystafell yn llawn ac yn fyglyd. Crogai dillad glân wedi eu smwddio ar lein o dan y nenfwd, ac roedd gwely bach wrth y tân. Roedd yn amhosibl ei chadw'n drefnus gan mai hi oedd yr unig stafell a oedd ganddyn nhw i fyw ynddi er pan oedden nhw wedi gosod y parlwr. Roedd Tomi yn dechrau gwella ar ôl llid yr ysgyfaint, a nawr yn eistedd ar y gwely lle roedd wedi bod yn gorwedd rhwng byw a marw ychydig wythnosau cyn hynny. Eisteddai'n anniddig gan ysgwyd ei draed, a'i sanau'n dorchau llac am ei goesau tenau. Roedd ei wyneb yn llwyd a chlytiau melyn hyd-ddo.

Doedd Tomi ddim yn medru deall yn iawn y dymer roedd ei fam ynddi'r prynhawn yma. Byth er pan fu'n siarad â Mrs. Ifans a oedd yn byw yn y parlwr, pan ai honno drwodd i'r gegin fach, doedd ei fam ddim wedi dweud llawer wrtho, dim ond eistedd wrth y tân a dau lecyn o wrid ar ganol ei dwy rudd.

Doedd Tomi ddim yn medru deall ond ychydig iawn ar bethau y dyddiau hyn. Dyna Mrs. Ifans a'i gŵr yn byw yn y parlwr, ac wir, doedd wiw iddo fynd i chwarae cwato a rhedeg rownd y cadeiriau. Mae'n wir nad oedd arno eisiau rhedeg o gwmpas a blinai'n rhwydd iawn. Ac roedd arno eisiau'r pethau rhyfeddaf. Y prynhawn yma roedd arno eisiau afu, ond efallai y byddai'n well iddo beidio â gofyn i'w fam a hithau mor od, heb wneud dim ond syllu i'r tân. Fe gawsai Mrs. Ifans y parlwr beth i ginio, a deuai ei wynt atynt hwy i'r rŵm genol, afu wedi iddi ei ffrio yn y gegin fach. Dyna'r gwaethaf o fyw mewn darn o dŷ, roedden nhw'n clywed aroglau'r naill y llall. Weithiau byddai'n wynt hyfryd, meddyliai Tomi, ond dro arall ni byddai. Ta p'un, roedd gwynt yr afu ganol dydd yn hyfryd, ac roedd gwanc yn ei stumog amdano. Wrth gwrs, fe fu Tomi'n hoff o deisen. Doedd dim oedd e'n hoffi'n well na mynd gyda'i fam i siop Y Polyn Melyn, ar nos Wener, a gweld yr holl deisennau. Yr un â rhes o jam a hufen ynddi a hoffai Tomi orau, un bum ceiniog y pwys. Ond rywffordd, doedd ei blas i de dydd Sul ddim llawn cystal â'i golwg nos Wener. Nawr, doedd e ddim eisiau ei gweld. 'Mofyn afu oedd e. Efallai y byddai ei dad yn mynd i'w 'mofyn wedi dyfod tua thre.

Dyna fusnes y ci wedyn. Roedd hwnnw'n dywyll i Tomi. Roedd ei dad wedi dweud wrtho cyn y Nadolig ei fod am brynu ci yn anrheg iddo, a bu yntau'n breuddwydio am gi bach du a gwyn, a blew 'cwrlog', a llygaid crwn. Fe ddantodd yn hollol pan welodd yr hen gi tenau llwyd â'r llygaid main a ddaeth. Ni fedrai ci heb gynffon hir fel hyn ei siglo i ddangos ei fod yn falch. Ond bob yn dipyn daeth Tomi a'r ci yn ffrindiau, nes mentrodd Tomi ofyn i'w dad a gâi ei alw'n 'Pero'.

Chwarddodd ei dad, a dweud, "Wyt ti'n meddwl mai rhyw blwmin ci defed wy i'n mynd i redeg? 'Alaw Pero', myn diain i, na, wnaiff e mo'r tro o gwbl."

A chwarddodd wedyn.

Sylwodd Tomi hefyd nad oedd ei fam fyth yn edrych yn bles pan fyddai Jim o gwmpas. Ond dim ots. Roedd Tomi'n lico Jim, er ei fod yn dilyn ei dad i bobman. Roedden nhw wedi mynd allan gyda'i gilydd ar ôl cinio i rywle, ac roedden nhw'n aros yn hir. Tybed a fyddai'n well iddo ofyn i'w fam nawr am yr afu.

"Mam, a gaf i afu?"

Trodd ei fam olwg ryfedd arno, ac yna ail droes ei phen at y tân, a'i gwefusau'n symud fel petai hi'n siarad wrthi hi ei hun. Ateb Mrs. Ifans roedd. Dim ots iddi hi ym mh'le'r oedd hi'n mynd i brynu hat. Roedd pedair blynedd er pan gafodd un. Roedd Ann wedi gweld hat fach bert yn siop Mrs. Griffith am ddau ac un ar ddeg. Roedd siop Mrs. Griffith yn rhy brid iddi fynd yno ar adeg arall; ond pan fyddai sêl, fe ostyngai Mrs. Griffith y prisoedd yn rhyfedd, ac mi fyddech yn siŵr o gael bargen. Nid yr un peth â'r Argyle Stores, lle'r oedd pethau'n tsiep bob amser. Pan ddywedodd hi hyn wrth Mrs. Ifans, dyma honno'n gwenu'n ffiaidd ac yn dweud: 'Dyna neis 'ych bod chi'n gallu ffordo mynd i siop Mrs. Griffith. Ond mae'n siŵr 'ych bod chi'n gwneud yn dda ar y ci'n awr ar ôl gadel y ceffyle.' Ac i ffwrdd â hi gyda'r ffrimpan a'r afu.

'Dyna dwp own i,' meddyliai Ann wrthi ei hun nawr, 'na baswn i wedi dweud bod Morgan wedi colli mwy nag y 'nillws e ar geffyle erioed, ac na chafodd e ddim gyda'r ci hyd yn hyn.' Ond un oedd Ann a allai feddwl am bopeth i'w ddweud wedi'r digwydd. Niwsans yn ei meddwl mewn gwirionedd oedd gorfod cael neb i'r tŷ. Ond dyna! Allen nhw ddim fforddo deuddeg swllt yr wythnos o rent, ac o'r tamaid ecstra a gâi am yr ystafelloedd roedd hi'n mynd i gael yr hat newydd, cyn i bobl y 'Means Test' ddod i wybod amdano a mynd ag ef. Druan o Mrs. Ifans! Y ci'n wir! Daeth ei chynddaredd yn ôl at ei thenant, ac i orffwys yn ddiweddarach ar Morgan. Fe fyddai'n rhaid iddo werthu Alaw Jim cyn y câi neb eto ddannod iddi mai'r ci a dalai am ei hat newydd.

"Rwy'n 'mofyn afu, Mam."

Cynyddodd ei llid yn fwy yn erbyn ei gŵr wedi clywed y gri yma. Mi fuasai'n llawer gwell i Morgan roi'r arian a wariai ar y ci i gael tipyn o faeth i Tomi'n awr iddo gryfhau, yn lle bod y bachgen a'r plant eraill heb gael dim ond rhyw de a bara menyn o hyd. Penderfynodd fynd i 'mofyn afu gyda pheth o arian yr hat. Fe wnâi les i Mrs. Ifans weld na chafodd hi mo'r hat wedyn. Ac fe gâi Ann, trwy hynny, gnoi cil ar ei haberth.

Pan ddodai ei chôt amdani, clywai Morgan yn dyfod i lawr at gefn y tŷ gan chwibanu ac anwesu Alaw Jim fwy nag erioed wrth gau drws y gegin fach. Fe roddodd yr olwg hapus ar wyneb Morgan fflam yng nghynddaredd Ann, ac roedd yr olwg a gafodd Morgan ar wyneb Ann yn ddigon i ddiffodd pob gronyn o frwdfrydedd a'i daliodd rhag cwympo o eisiau bwyd ar y ffordd tua thre.

"Ti a dy hen gi," oedd geiriau cyntaf Ann, a chyn i Morgan allu casglu ateb at ei gilydd byrlymodd ymlaen:

"Dyma fe'r crwtyn yn llefen am afu, a thithe'n gwario d'arian a d'amser ar yr hen gi yna. Does dim posib iddo fe gryfhau ar y bwyd mae e'n gael. A dyna plant eraill mas yn yr oerni yn drychen am lo yn yr hen lefel yna, a thithe'n enjoio yn y cae rasus, a phobl yn dannod i fi mod i'n cael dillad newydd ar gefen dy hen gi di."

Digwyddodd peth rhyfedd yn y fan hon. Yn sydyn, fel fflach, daeth i gof Morgan iddo ennill ar gyfansoddi pedwar pennill i flodyn Llygad y Dydd mewn cwrdd cystadleuol yn y wlad pan oedd yn ddeunaw oed. Roedd degau o flynyddoedd oddi ar hynny, a bu'n gymaint â hynny er y tro diwethaf y daeth y peth i'w gof hefyd. A meddwl mai ei gariad at Ann a'i symbylodd i sgrifennu'r penillion hynny! Cymerodd ei wraig ei ddistawrwydd yn arwydd o lyfrdra ac o gyfiawnder yr hyn a draethai, ac aeth ymlaen:

"A dishgwl yma," meddai. "Os na chei di wared ar yr hen gi yna, mi bodda i e'n hunan."

Ar hyn dyma sgrech dorcalonnus o gyfeiriad y gwely.

"Na wnewch, Mam, na wnewch, gwedwch na wnewch

chi ddim boddi Jim. 'Dych chi ddim am foddi Jim, odych chi, odych chi, Mam?"

Dihangodd Morgan rhag y fath drueni, ac wrth droi ei lygaid yn ôl, gwelai Tomi ar lin ei fam a'i ddwylo am ei gwddf yn llefain a gweiddi:

"Gwedwch na wnewch chi ddim," a hithau'n ei gysuro.

"Dyna fe, dyna fe, na wna i ddim."

Aeth dau wrthrych yr holl helynt i fyny'r bryn, ac un ohonyn nhw wedi ei daro'n fud, ac yn meddwl sut yn y byd y bu iddo gymharu ei wraig â blodyn Llygad y Dydd erioed. Wedi'r digwydd y gallodd yntau gasglu ei feddyliau at ei gilydd a meddwl am yr holl bethau y gallasai eu dweud wrth ei wraig. Daliai'r llall i drotian yn dawel wrth ei ochr.

Roedd llwydrew yn yr awyr a chrwybr ysgafn dros wyneb y wlad, nes ei gwneud yn llwyd olau. Deuai aroglau ffrio cig moch a wynwyn o dai yr âi Morgan heibio iddyn nhw ar ei ffordd i fyny. Wedi dringo ychydig eisteddodd ar garreg a throi ei lygaid at y gorllewin. Yno roedd yr haul yn mynd i lawr dros ysgwydd bryncyn. Roedd yr olygfa'n un i'w chofio byth. Dyna lle'r oedd yr haul yn belen fawr o liw oren, ei godre o liw oren tywyllach, a'r holl awyr lwyd yn gefndir iddi. Roedd y tai hyll wedi eu cuddio yn y llwydni. Bob yn un ac un deuai goleuni'r lampau i ddawnsio yn yr heolydd ac yn y tai, ac roedd y cwm yn ogoneddus.

Daeth cryndod annwyd dros Morgan a chododd ar ei draed. Daeth heddwch eto'n ôl i'w galon. Roedd am fynd tua thre a'r ci gydag e, a rhoi'r chweugain ar y ford i Ann, hyd yn oed petai'n rhaid iddo redeg allan wedyn.

Ffair Gaeaf a Storïau Eraill, Gwasg Gee

Dau Gyfandir

Person 1af

Martin Huws

Perthynas yr awdur a Dad

BANGKOK. WYTH O'R GLOCH y nos. Diawl, mae'r tacsi'n hwyr. Yr hewl i gyd yn wag, a sylweddolaf nad oes 'da fi neb yn y byd, neb and Dad, dyn eiddil yn gorwedd mewn gwely ar ochor arall y byd. A'r loes fwya fyddai ei golli cyn ei gyrraedd.

O'r diwedd daw'r gyrrwr a chario'r cesys ling-di-long ac yn fud i'r gist. Rwy'n edrych yn hurt arno. Bant â ni – a phum munud yn ddiweddarach mae'n pesychu.

"Pryd ma'r awyren yn gadael?"

"Un ar ddeg."

"Chi byth yn mynd i gyrraedd mewn pryd."

Rwy bron â dweud wrtho i wasgu ar y sbardun, ond mae bywyd yn rhy fyr. Beth a ddaw a ddaw. Daw'r sgwrs i ben a'i lygaid yn canolbwyntio ar yr hewl fawr sy'n ymddangos yn ddiddiwedd.

Wn i shwt mae pethau yng Nghymru. Maen nhw saith awr ar ôl Bangkok. Mae Dad, gellwch fentro, ar erchwyn y gwely, ei feddwl yn drydan i gyd, yn gwrando'n astud ar fwletin newyddion, yn tsiecio bod pob stori'n gyflawn ac yn eu croesgyfeirio yn rhwydwaith ei gof. Yn gofyn a yw'r stori'n hollol newydd, a yw'r newyddiadurwr wedi ymdrechu i wthio'r stori yn ei blaen.

Rwy'n moyn closio ato. Ond mae holl dir Ewrop ac Asia rhyngof ag ef. Dau gyfandir. Mae Cymru ar ei hôl hi. Dyna pam y des i yma. Fan hyn y mae'r dyfodol, y diwydiannau newydd.

Galla i gofio ei eiriau nawr. Os yw'r gwrandäwr ar goll, mae'r stori wedi ffaelu.

Ar y ffôn neithiwr dywedodd y nyrs ei fod wedi cael 'pwl bach' ond fe ddaw dros hwn eto. Mae e ychydig yn anghofus. 'Na i gyd. Henaint ni ddaw ei hunan. Pedwar ugain. Wedi cyrraedd y llinell flaen.

Rwy'n edrych ymlaen at gwrdd ag e. Mae cymaint 'da fi i weud er bod y cywilydd yn aros fel gwaddod ar waelod gwydr peint. Wy ddim wedi ei weld ers ugain mlynedd, ond fe fydd popeth yn iawn, siŵr o fod. 'Na i gyd sy eisie yw defnyddio'r hen swyn i chwalu ei amheuon. Rwy'n edrych ymlaen at ei wên a'i ateb parod.

Cwyd yr awyren o'r ddaear ac wrth iddi hanner-droi, mae goleuadau gwely perlau Bangkok yn pellhau. Edrychaf drwy'r ffenest a gwelaf fy adlewyrchiad bregus. Rwy'n unig. Er bod yr awyren yn fawr mae hi fel cleren yng nghanol yr awyr anferth.

Wyt ti'n cofio? Wyt. Dad ar y platfform yn dymuno pob lwc yn y cyfweliad yn y Dwyrain Pell. Mam yn llefen y glaw a'i masgara'n llifo. A siâp eu cyrff yn lleihau wrth i'r trên dynnu mas o'r stesion. Fel hyn y lleihaodd y ddau yn fy meddwl dros y blynydde. Nes iddyn nhw bron â throi'n ddim. *tafodiaith*

Ar y platfform, gwenai Dad yn wanllyd am y gwyddai na ddown i 'nôl. Oni bai fod rheswm da. Ro'n i'n gwybod yn iawn shwt roedd ei feddwl yn gweithio.

Rwy'n dod 'nôl, Dad. Fe wna i unrhyw beth i adfer dy ewyllys da. Rwy'n flin. Wnei di faddau imi?

Mae'r siwrnai'n hir ac yn flinedig. Gobeithio na fydd y glaniad yn rhy arw.

* * *

Amsterdam. Chwech o'r gloch y nos. Tŷ bwyta moethus ger y maes awyr a miwsig clasurol y cefndir yn boddi sgrechfeydd awyrennau. Llymeitiaf fy ngwin coch ar ôl pryd o gig eidion Bourgignon. Yn sydyn saif hi'n dawel wrth y ford, yn ymladd i gadw ei hunan-barch. Mae hi'n fud. Yn ei llaw dde mae hi'n dal cerdyn ac arno ysgrifen fregus, frysiog. 'Alla i ddim fforddio talu am bryd o fwyd.'

Mae hi yno o hyd. Yn dal i aros, yn pwyso arna i i gael ymateb. Rwy'n gwrthod edrych i fyw ei llygaid a'r unig ateb yw bod yn ddidrugaredd. Galw'r rheolwr – sy'n ei thowlu hi mas. Gwehilion. Na beth y'n nhw.

Rwy wedi troi'n ddyn caled. Fi oedd yr un a oedd yn diswyddo pobol, yn cau ffatrïoedd, yn hala teuluoedd i fecso'u henaid. Ro'n i'n benderfynol o lwyddo yn y byd mawr, heb ei ddylanwad e. Torrais bob cysylltiad a dileu atgofion. Fel ymladdwr rhyddid yn helpu'r ochor arall, yn dianc i wlad arall a byw bywyd newydd. Rhywbeth i'w anghofio oedd Dad. Briwsion a gâi eu sgubo i gornel gefn y cof.

Ro'n i'n moyn bod yn flaengar, gwisgo siwt siarp, sefyll yn dalsyth.

Wnest ti erioed fy llongyfarch. Ond wnes i ddim llwyddo ar dy delerau di. Rwy'n dod 'nôl.

Rhoi'r gorau i sgrifennu llythyron, rhoi'r gorau i ffonio. Wy' ddim yn siŵr pam. Dim amynedd. Galwadau gwaith. Oriau hir, partïon gwyllt. Rwy'n siŵr fod 'na esgus. Pan holai fy nghyd-weithwyr yn Bangkok am fy nheulu, arferwn ddweud: 'Ry'n ni wedi colli cysylltiad,' wrth godi f'ysgwyddau. Ond weithiau cawn hunllef – wyneb Dad yn pellhau'n araf o dan y tonnau a finne'n cilio 'nôl i'r traeth gan fod y llif mor gryf.

112

Diawl, ro'n i'n ddifeddwl. Fi'n gynta, fi'n ail – a falle Shoni'n drydydd.

Yn ei ffordd hamddenol wrth y ford ginio roedd Dad bob amser yn dweud ein bod ni i gyd yn gyfartal. Miss Price, yr athrawes Mathemateg, a blannodd ynof y whant i fod yn feindwr uwchben y toeau llwyd.

Ar y ffôn, ddeng mlynedd 'nôl, roedd ei lais yn crynu.

"Dere 'nôl, plîs."

"O's rhywbeth yn bod?"

"Ma dy fam newydd farw."

Yr eiliad honno gwelwn ei lygaid yn chwilio fy llygaid. Roedd 'na saib hir. Ac roedd ei lygaid fel rhai dyn sy newydd brynu plât newydd sbon, yn ei ddadlapio gartre ac yn sylwi fod crac ynddo. Weithiau mae geiriau mor brin. Man a man 'se fe wedi siarad â'i hunan.

Roedd yr angladd yn hunllef iddo. Y tylwyth yn holi ei berfedd. Ble mae e? Ody e'n dost? Ody e'n gwybod? Pwy siort o fab yw e os yw ei fam mewn bedd, a fe'r ochor arall i'r byd?

Beth ddigwyddodd? Aeth rhywbeth ar goll. Cwympodd y gwifrau ffôn. Fel llwybr yng nghefn gwlad Thailand, os nad oes neb yn cerdded ar hyd-ddo, mae'r planhigion gwyllt yn ei dagu.

* * *

Llundain. Un o'r gloch y bore. Ochneidiaf wrth ddringo i'r gwely oer yn y gwesty tair seren. Rwy'n dod i ben y daith. Er fy mod wedi blino'n lân, wy' ddim yn gallu cysgu. Er bod y clybiau'n cau, synnaf pa mor dawel yw'r stryd tu fas.

Mae'r llonyddwch yn debyg i... Anghofia i fyth. Pan o'n i'n bymtheg, fe ges i noson feddw, yr un gynta erioed.

113

Cyrraedd adre yn y bore bach a bron â phwnio'r cloc mawr yn y cyntedd. Yn yr ardd am hanner dydd, ar ddiwedd ei bregeth ddiamynedd, fe dowlodd Dad waden ata i. Yn sydyn, plygais 'y mhen a'i daro ar ochor dde ei dalcen. Cafodd ei lorio. Distawrwydd hir – cyn iddo edrych lan a'i syndod yn graith ar ei wyneb. Ciliodd i'w stydi fel ci wedi ei 'nafu. Y tro cynta' imi weld gwendid ynddo.

Chwarae teg. Dysgodd imi adrodd. Ond yn hytrach na gadael imi arbrofi a dysgu oddi wrth fy nghamgymeriadau, mynnodd reolaeth lwyr. Yn yr ysgol fawr, ar lwyfan eisteddfod, fy llais i a gâi ei glywed, ond – eisteddai yntau yn y sedd flaen yn mesur y rhythm, yn lliwio'r geiriau ac yn dewis hyd y seibiau. Falle ei fod yn trial adennill tir, yn ailgydio mewn cyfle a gollodd. Yn fy nefnyddio i fel siaced achub.

Roedd rhaid imi hedfan yn rhydd.

Odw i'n difaru? Beth yw difaru? Dim and gair mewn gweddi, yn magu llwydni. Fel hen lyfrau emynau mewn bocsys sy heb eu hagor ers achau. Pulpud llwyd. Meinciau caled. Llond dwrn o bobol yn gwrando ar bregeth ddiflas. Fel hen lwyth bron â darfod.

* * *

Paddington. Wyth o'r gloch y bore. Yn y trên llonydd mae haid o deithwyr yn eistedd yn ddiamynedd. Ddwyawr yn hwyr. Ac yna daw neges y cyhoeddwr yn frysiog, yn aneglur. 'Ymddiheuro', 'oedi', 'amgylchiadau y tu hwnt i'n rheolaeth'. Mae dyn wedi glanio ar y lleuad ond allwn ni ddim cyrraedd Cymru mewn pryd.

* * *

Stesion Caerdydd. Saith o'r gloch y nos. Mae'r niwl, sy'n

cau amdanaf, yn wlyb, yn oer ac yn treiddio i'r esgyrn. Sleifia'r tacsi ataf fel cath fawr ddu.

Rwy wedi blino'n lân yn y sedd ôl. Hoffwn, y funud 'ma, fod fel Dad, yn gorwedd mewn gwely gan gau popeth mas. Meddyliaf am yr eiliad pan fydd e'n llefen gan lawenydd, pan fydd y dŵr sy wedi crynhoi y tu ôl i lifddorau ei lygaid yn arllwys yn sydyn. Blasaf y cyffro yn fy ngheg. Edrychaf ymlaen at ei groeso.

Diawl, mae canol Caerdydd wedi newid, y bariau gwin lliwgar wedi disodli'r hen dafarnau llwyd, traddodiadol, fel y Royal Oak yn Heol Fair. Mae'r hen fap yn fy mhen yn ddiwerth.

Y loes fwya' fyddai colli cof. Sefyll mewn stafell dywyll a'r golau'n lleihau wrth i rywun gau'r drws o'r tu fas. Cwrso atgofion, rhedeg o gwmpas gardd yn trial dala pili pala â llaw.

Ar ochor dde'r ffordd ddeuol i Bontypridd mae hysbysfwrdd mawr. Hysbyseb persawr. Ond nid yw'n slic nac yn gyfan, ac mae darn hir o bapur yn chwythu yn y gwynt. A'r slogan yn bytiau digyswllt.

Gofynnaf i'r gyrrwr stopio'r tacsi. Mae hi'n dywyll, meddai, and dywed fod lamp yn y gist. Af i lawr llwybr am ugain llath, croesi croesfan rheilffordd a dyna ble mae'r Hendre. Fan hyn y ces i fy magu. Ond mae'r ardd yn llawn chwyn, y perthi wedi gordyfu a phlwm wedi diflannu o'r to. Y ffenestri'n deilchion. Alla i ddim â galw hwn yn gartre.

"Pwy y'ch chi? Cerwch o 'ma."

Yn y parlwr mae trempyn yn sgrechen yng nghanol bwndel o bapurach ar wasgar – lle bu soffa glyd. Gwynt pisho lle bu gwynt cennin Pedr. 'Na beth yw fflatad, fel y bachgen mawr yn yr ysgol fach a chwarddodd pan drodd fy llun o gae ŷd yn glwyf coch.

"Ti'n iawn?"

Rhyddhad y gyrrwr wrth fy ngweld i eto.

Y loes fwya fyddai colli cof. Ddim yn nabod unman. Y nodau tir cyfarwydd wedi mynd. Bod yn ddigartref ar ôl ymgyrch fomio. Yn crwydro'n ddi-glem yng nghanol rwbel.

Fydda i ddim yn hir, Dad. Rwy'n dod 'nôl. Fe fydd popeth yn iawn, allwch chi fentro. Dechrau cyfnod newydd. Fel tegan plentyn lle mae llaw'n creu tudalen wag.

Cyrraedd yr ysbyty ym Mhentre'r Eglwys. Talu'r gyrrwr. Gollwng y cesys tu ôl i ford y porthor. Neb yno. Mwynhau hen deimlad braf fel dwyn 'falau o ardd Tŷ Mawr.

Rwy'n hyderus. Rwy wedi paratoi'r sgript yn fanwl ac yn barod am unrhyw sefyllfa. 'Co'i wely fe ym mhen draw'r ward. Pam na wnaiff e godi llaw? Effaith y cyffuriau, siŵr o fod.

"Chi yw'r mab? Sefwch funud."

Munud? Rwy wedi bod yn trafaelu am ugain awr. Wy ddim yn moyn bradu amser.

"Dad?"

Er fy mod yn gwenu gwên o adnabyddiaeth, mae e'n delwi.

"Pwy y'ch chi, 'te?"

Mae fy ngobaith i fel coesau hen ddyn, yn plygu oddi tano. Erbyn hyn, mae dyn yn gallu hala neges o'r tir i'r lloeren ac yn ôl mor glou â chroten yn bownsio pêl yn erbyn wal. Ond bwlch sy rhyngof i a Dad, holl dir Ewrop ac Asia.

Rwy wedi dod 'nôl i gragen o dŷ.

Taliesin, Cyfrol 111

SIOM
A DADRITHIAD

Te yn y Grug

Kate Roberts

"GA' I WELD O?" meddai Begw wrth ei mam a mynd ar ei phennau gliniau ar gadair yn y tŷ llaeth. Jeli oedd yr 'o', peth newydd sbon i fam Begw ac i bob mam arall yn yr ardal. I Begw, rhyfeddod oedd y peth hwn a oedd yn ddŵr ar fwrdd y tŷ llaeth yn y nos ac yn gryndod solet yn y bore, and yn fwy na hynny yn beth mor dda i'w fwyta. Neithiwr, yr oedd ei mam wedi gwneud peth coch ar wahân mewn gwydr hirgoes iddi hi ei gael i fynd am de parti i'r mynydd grug efo Mair y drws nesa. Yr oedd mam Mair am wneud peth iddi hithau, meddai hi. Gobeithiai Begw y cadwai mam Mair ei gair, oblegid mor fawr oedd ei heiddigedd meddiannol o'r jeli fel na fedrai feddwl ei rannu â neb. Yr oedd ei mam wedi deall hynny ac wedi ei wneud ar wahân yn y gwydr del yma.

"Y fi pia hwn i gyd ynte Mam?"

"Ia, bob tamad, mi gei stumog yng ngwynt y mynydd, a mi wneith les iti."

Lles oedd bob dim gan ei mam, nid y teimlad braf o'i glywed yn llithro i lawr ei gwddw yn oer. Ond yr oedd yna rywbeth arall hefyd mi fedrai lartsio efo Mair ar gorn y jeli. Yr oedd Mair wedi lartsio digon yn yr ysgol efo'i thomatos, ac wedi dweud mai hwy oedd wedi cael y tomatos cyntaf yn yr ardal, ac o flaen neb yn y dre o ran hynny, a Robin wedi gofyn iddi sut y gwyddai hynny a degau o filoedd o bobl yn byw yn y dre.

"A dyma iti dipyn o frechdana i'w bwyta efo fo, a the oer mewn potal. A mi gei fenthyg dy sgidia gora heddiw am dro, yn lle dy fod chdi'n llusgo'r clocsiau mawr yna."

"O, mi fydda i 'run fath â Mair drws nesa rŵan."

"Dim ond yn dy draed gobeithio."

Yr oedd Mrs. Huws y Pregethwr a Mair wrth y llidiart pan aeth Begw a'i mam allan.

"Wir," meddai Mrs. Huws, "dwn i ddim ydy hi'n dryst gadael i ddwy hogan wyth oed fynd 'u hunain i'r mynydd."

"Fyddan nhw ddim 'u hunain os byddan nhw efo'i gilydd," meddai ei chymdoges er mwyn tynnu'n groes.

"Ond beth petai rhyw hen dramp yn ymosod arnyn nhw, fasa dwy fawr gwell nag un?"

"Nid ar y mynydd y bydd trampars yn hel cardod, Mrs. Huws."

"Mae digon ohonyn nhw'n croesi'r mynydd pan fydd 'u sgidia nhw yn rhy ddrwg i gerdded y ffyrdd. A mae yna lot o hen hogia drwg o gwmpas."

"Welis i rioed hogia drwg," meddai mam Begw fel petai Robin ei mab yn angel.

"O wel, dim and gobeithio'r gorau. Fe ddylsan ni fynd efo nhw," meddai Mrs. Huws.

Ni buasai dim hwyl yn hynny, debygai Begw, a rhag ofn i Mrs. Huws gyflawni ei hawgrym, cychwynnodd, a Mair o'i lled ôl. Cawsant ganiatâd i fynd yn bennoeth gan mai i'r mynydd yr aent, a'u rubanau gwallt fel ieir bach yr ha ar ochr eu pennau. Gwisgai Begw frat a'r ddwy ffrilen ar ei bennau ysgwyddau yn agor allan fel gwyntyll. Sylwodd hi nad oedd gan Mair olwg o fwyd yn unlle. Cariai fabi dol ar ei braich, a dyna'r cwbl. Yn awr dechreuodd penbleth i Begw, y penbleth hwnnw a ddeuai i'w rhan o hyd ac o hyd. Beth oedd orau i'w wneud? Ni allai fwyta ei jeli a'i brechdanau ac edrych ar Mair wrth ei hymyl heb ddim, ac yr oedd yn benderfynol na chai ddim o'i jeli. Gallai gynnig brechdan a diod iddi.

"Mae gin i jeli," meddai yn gynnil.

"Twt, does dim byd yn hwnnw. Hen beth rhad ydy o. Mae'n well gin i domatos."

"Oes gynnoch chi rai efo chi?"

"Nag oes."

Disgynnodd gwep Begw. Ofnai y byddai'n rhaid iddi rannu ei jeli.

Ychydig bach cyn troi i'r mynydd, pwy a welsant ar y ffordd and Winni Ffinni Hadog, yn sefyll a'i breichiau ar led fel petai hi'n gwneud dril.

"Chewch chi ddim pasio," meddai hi yn herfeiddiol.

A dyma'r ddwy arall yn ceisio dianc heibio iddi, and yr oedd dwy fraich Winni i lawr arnynt fel dwy fraich soldiwr pren. Wedyn dyna hi'n gafael yn llaw rydd pob un ac yn eu troi o gwmpas.

"Rydw i yn dŵad efo chi i'r mynydd," meddai.

"Pwy ddeudodd y caech chi ddŵad?" meddai Mair.

"Sut ydach chi'n gwbod mai i'r mynydd ydan ni'n mynd?" oedd cwestiwn Begw.

"Tasat ti yn fy nabod i, fasat ti ddim yn gofyn y fath gwestiwn."

"Ydy o'n wir 'ych bod chi'n wits?" ebe Begw.

"Ddyla hogan bach fel chdi ddim holi cwestiyna."

Edrychodd Begw arni. Gwisgai ryw hen ffrog drom amdani, a brat pyg yr olwg heb ddim patrwm arno; dim and dau dwll llawes a thwll gwddw, a llinyn crychu drwy hwnnw. Ei gwallt yn gynhinion hir o gwmpas ei phen ac yn disgyn i'w llygaid. Yr oeddynt wedi troi i'r mynydd erbyn hyn, a rhedai awel ysgafn dros blu'r gweunydd gan chwythu ffrog ysgafn Mair a dangos y gwaith edau a nodwydd ar ei phais wen. Fflantiai godre cwmpasog ffrog Winni o'r naill ochr i'r llall fel cynffon buwch ar wres. Tarawodd ei chlocsen ar garreg.

"Damia," meddai hi yn ddistaw, ac yna yn uwch, "yn tydy o'n beth rhyfedd 'ych bod chi'n gweld sêrs wrth daro'ch clocsan ar garrag?"

Ni allai Begw gredu ei chlustiau, ac wrth na chlywodd Mair yn rhyfeddu na gwrthwynebu, penderfynodd nad oedd wedi clywed y rheg. Hefyd, yr oedd penbleth rhannu'r jeli yn mynd yn anos. Byddai'n rhaid iddi gynnig peth i Winni rŵan.

"Mi'r ydw i wedi blino'n lân, mae arna i eisio bwyd," meddai Winni, gan dynnu ei dwylo o ddwylo'r ddwy arall.

"Mae'r clwt glas yma wedi'i neud ar 'yn cyfar ni." Ac eisteddodd ar glwt glas o laswellt yng nghanol y grug.

"Rŵan steddwch," meddai fel swyddog byddin.

Ni allai'r ddwy arall wneud dim and ufuddhau, fel petaent wedi eu swyngyfareddu.

"Fuoch chi 'rioed yn sir Fôn?" meddai Winni, gan edrych tuag at yr ynys honno.

"Mi fuom i efo'r stemar bach," meddai Mair.

"Fuom i rioed," meddai Begw.

"Na finna," meddai Winni, "ond mi rydw i am fynd ryw ddiwrnod."

"Yn lle cewch chi bres?" gofynnodd Mair.

"Mi rydw i'n mynd i weini, wedi imi adael yr ysgol y mis nesa."

"I b'le?" gofynnodd Begw.

"Dwn i ddim. Ond mi faswn i'n licio mynd i Lundain, yn ddigon pell."

"Fasa arnoch chi ddim hiraeth ar ôl 'ych tad a'ch Mam?"

"Na fasa, does gin i ddim mam iawn, a ma gin i gythral o dad."

Caeodd Mair ei llygaid a'u hagor wedyn mewn dirmyg. Gwnaeth Begw ryw sŵn tebyg i sŵn chwerthin yn ei gwddw, gan edrych yn hanner edmygol ar Winni.

"Mi wneith Duw 'ych rhoi chi yn y tân mawr am regi," meddai Mair.

"Dim ffiars o beryg. Mae Duw yn ffeindiach na dy dad di, ac yn gallach na'r ffŵl o dad sy gin i."

"O," meddai Mair wedi dychryn, "mi ddeuda i wrth Tada."

"Sawl tad sy gin ti felly?"

"Tada mae hi'n galw'i thad, a finna yn 'Nhad," meddai Begw.

"A finna yn lembo," meddai Winni.

"Bedi lembo?"

"Dyn chwarter call yn meddwl 'i fod o'n gallach na neb. Tasa fo'n gall, fasa fo ddim wedi priodi'r cownslar dynas acw."

"Nid y hi ydy'ch mam chi felly?"

"Naci, mae fy mam i wedi marw, a'i ail wraig o ydi hon. Ffŵl oedd fy mam inna hefyd. Ffŵl diniwad wrth gwrs."

"O," meddai Begw, "bedach chi'n deud peth fel yna am 'ych mam?"

"Wel, mi'r oedd hi'n wirion yn priodi dyn fel 'Nhad i gychwyn, ac wedi'i briodi fo, yn cymryd pob dim gynno fo. Mi'r oedd yn dda i'r gryduras gael mynd i'w bedd. Ond mae yna fistar ar Mistar Mostyn rŵan."

"Pwy ydy Mistar Mostyn?"

"D'wn i yn y byd. Rhyw stiward chwarel reit siŵr."

Ocheneidiodd Begw, ac edrychodd ar wyneb Winni. Yr oedd ei hwyneb yn goch erbyn hyn, ac edrychai dros bennau'r ddwy leiaf i gyfeiriad y môr. Yr oedd natur camdra yn ei cheg, a chan ei bod yn gorfod taflu ei phen yn ôl i daflu ei gwallt o'i llygad, yr oedd golwg herfeiddiol arni. Pan oedd Begw yn meddwl pa bryd y caent ddechrau ar eu te, dyma Winni yn dechrau arni wedyn.

"Fyddwch chi'n breuddwydio weithiau?"

"Bydda yn y nos," meddai Begw.

"O na, yn y dydd ydw i'n feddwl."

"Fedrwch chi ddim breuddwydio heb gysgu."

"Mi fedra i," meddai Winni.

"Peidiwch â gwrando arni'n deud clwydda," meddai Mair.

Ond yr oedd Begw yn gwrando a'i cheg yn agored, a Winni fel rhyw fath o broffwyd iddi erbyn hyn, yn edrych yr un fath â'r llun o Daniel yn ffau'r llewod.

"Fydda i'n gneud dim and breuddwydio drwy'r dydd," meddai Winni, "dyna pam mae gin i dylla yn fy sana, a dyna lle bydd gwraig y 'nhad yn achwyn amdana i wrtho fo cyn iddo fo dynnu'i dun bwyd o'i boced wedi cyrraedd adra o'r chwaral. A mi fydda i yn cael chwip din cyn mynd i 'ngwely!"

"O-o-o," meddai Mair gydag arswyd.

Chwarddodd Begw yn nerfus.

"'Doedd o ddim yn beth i chwerthin i mi. Ond un noson mi drois i arno fo, a mi gyrhaeddis i glustan iddo fo. Rydw i bron cyn dalad â fo erbyn hyn."

"A be wnaeth o?"

"Fy nghloi fi yn yn y siambar heb ola na dim, a ches i ddim swpar. Ond mi'r oeddwn i wedi cael 'i dalu fo yn 'i goin. Ond chysgis i fawr am fod gwanc yn fy stumog i."

"Bedi gwanc?"

"Miloedd o lewod yn gweiddi eisio bwyd yn dy fol di. Ond mi'r ydw i am ddengid ryw ddiwrnod i Lundain. Wedi dechra dengid yr ydw i heddiw, am fod Lisi Jên wedi bygwth cweir imi bora."

"Pwy ydy Lisi Jên?"

"Ond gwraig 'y nhad."

"Be wyddwn i?"

"Dyna chdi'n gwbod rŵan."

Edrychai Mair i lawr ar ei ffrog heb ddweud dim, a Begw a holai. Cafodd ei brifo gan yr ateb olaf.

Aeth Winni ymlaen.

"Tendiwch chi," meddai, dan grensian ei dannedd, "mi fydda i'n mynd fel yr awal ryw ddiwrnod, a stopia i ddim nes bydda i yn Llundain. A mi ga i le i weini a chael pres."

"Tydy morynion ddim yn cael fawr o bres," meddai Mair.

"O, nid at grachod 'run fath â chdi yr ydw i'n mynd i weini, and at y Frenhines Victoria 'i hun. A mi ga i wisgo cap startsh gwyn ar ben fy shinón, a barclod gwyn, a llinynna hir 'dat odra fy sgert yn 'i glymu. A mi ga i ffrog sidan i fynd allan gyda'r nos a breslet aur, a wats aur ar fy mrest yn sownd wrth froitsh aur cwlwm dolan a giard aur fawr yn ddau dro am fy ngwddw fi. A mi ga i gariad del efo gwallt crychlyd, nid un 'run fath â'r hen hogia coman sy fforma. A ffarwél i Twm Ffinni Hadog a'i wraig am byth bythoedd."

Yna dechreuodd dynnu ym mhlanhigyn y corn carw a dyfai gan ymgordeddu'n dynn am fonion y grug. Tynnai a thynnai yn amyneddgar â'i llaw wydn, ac yna wedi cael digon, rhoes ef o gwmpas ei phen fel torch.

"Dyma i chi Frenhines Sheba," meddai.

Ar hynny, dyma hi'n lluchio ei dwy glocsen ac yn dechrau dawnsio ar y grug, ei sodlau duon yn ymddangos fel dau ben Jac Do drwy'r tyllau yn ei sanau. Dawnsiai fel peth gwyllt gan luchio ei breichiau o gwmpas, a throi ei hwyneb at yr haul. Gafaelodd yng ngodre ei sgert ag un llaw a dal y fraich arall i fyny. Sylwodd Begw nad oedd dim and croen noeth ei chluniau i'w weld o dan ei sgert. Toc dyna hi'n stopio, ac yn disgyn gan led-orwedd ar y ddaear.

"O, mae'r bendro arna' i."

"Cymwch lymad o de oer, Winni," meddai Begw, "mi wneith hwn les i chi."

Yr oedd wedi cael y gair 'Winni' allan o'r diwedd, ac wedi symud cam ymlaen yn ei chydymdeimlad â hi.

Ar hynny cododd Winni ar ei heistedd.

"Doro'r fasgiad yna imi, dydw i ddim wedi cael tamad o ginio."

Ac fel person wedi colli ei synhwyrau dyma hi'n gafael yn y gwydr jeli a'r llwy ac yn ei lowcio i gyd, ac yna yn slaffio'r brechdanau. Yr oedd Begw wedi ei hoelio wrth y ddaear, a'r dagrau wedi neidio i'w llygaid. Gwenai Mair yn oer.

"A rŵan," meddai Winni gan godi a lluchio'r gwydr i'r fasged, "rydw i am 'ych chwipio chi."

Rhedodd Mair am ei bywyd, a gadael i'w dol ddisgyn i rywle. Ni allai Begw symud, dim and edrych i wyneb Winni a'i golwg yn ymbil am drugaredd. Ond cyflawnodd Winni ei bygythiad yn ddiseremoni. Cododd ei dillad a'i chwipio. Sgrechiodd Begw a medrodd ddianc. Rhedodd i fyny'r mynydd dan grio, troes ei golwg yn ôl unwaith a gweld Winni'n rhedeg nerth bywyd ar ôl Mair. Ymlaen ac ymlaen yr aeth Begw, a'i chorff yn rhyfeddol o ysgafn, nes cyrraedd camfa haearn. Tros y gamfa a chyrraedd gweundir eang gwastad. Dal i redeg a chael ei bod yn mynd ar i lawr.

Daeth dyffryn i'r golwg, ac afon yn rhedeg drwyddo. Stopiodd hithau ac eistedd ar fwsogl braf. Daliai i igian crio o hyd, a dechreuodd ebwch mawr arall wrth gofio ei chywilydd. Yr oedd yn druenus wrth feddwl bod neb heblaw ei mam wedi ei chwipio. Yna daeth teimlad arall, meddwl fel yr oedd wedi dechrau gweld rhywbeth y gallai ei hoffi yn Winni, yn lle ei bod fel pawb yn yr ardal yn ei chau allan fel tomen amharchus na fedr neb gyffwrdd â hi ond efo fforch deilo. Ac yn sydyn hollol dyna Winni yn gwneud peth a brofai mai pobl yr ardal a oedd yn iawn. Stopiodd grio, a daeth tristwch tawel drosti.

Gorweddodd ar ei hyd ar y ddaear gynnes, ac edrych ar yr awyr las a oedd fel parasol mawr uwch ei phen. Efo chil ei llygad gallai weled cornel o Lyn Llyncwel fel darn o fap Iwerddon, a theimlai'n ddig wrth drwyn y mynydd a'i rhwystrai rhag gweld rhagor. Daeth rhyw deimlad braf drosti, mor braf oedd bod ar wahân, yn lle bod ymysg pobl. Yr oedd rhywbeth cas yn dŵad i'r golwg o hyd mewn pobl. Dyna Winni, wedi dechrau bod yn hoffus, and na, yr oedd yn rhaid iddi ei hanghofio. Yr oedd y distawrwydd yma yn braf. Pob sŵn, sŵn o bell oedd o, sŵn cerrig yn mynd i lawr dros domen y chwarel, sŵn saethu Llanberis, bref dafad unig ymhell yn rhywle, a'r cwbl yn gwneud iddi feddwl am ochenaid y babi wrth gysgu yn ei grud gartref. Aeth i gysgu yn hyfrydwch ei hamgylchedd. Yna clywodd sŵn agos, a rhywun yn cerdded yn felfedaidd ar hyd y ddaear. Cododd ar ei heistedd yn sydyn a gweld Robin ei brawd yn dyfod tuag ati, a'r fasged fwyd yn ei law. Bron nad oedd yn flin wrtho am dorri ar ei llonyddwch.

"Wel," meddai Robin, "mi ges i fraw."

"Pam?"

"Meddwl dy fod chdi wedi mynd ar goll. Well iti ddŵad adra ar unwaith, ne mi fydd Mam wedi cychwyn i chwilio amdanat ti."

"Tydi hi ddim yn fy nisgwyl i rŵan."

"'Mi fydd iti, achos rydw i wedi gyrru Mair adra 'i hun. Mi ddalis i Winni Ffinni Hadog cyn i Mair gael cweir."

"Lle mae hi?"

"Pwy?"

"Winni."

"Mae hi wedi mynd adra."

"Dwi ddim yn meddwl, achos roedd hi'n deud 'i bod hi wedi dechra dengid o cartra heddiw."

"Mae honna'n hen stori gin Winni, mae hi bownd o gyrraedd adra cyn nos iti."

Ni soniodd yr un o'r ddau air am yr helynt ar y ffordd adre, Begw o gwilydd, a Robin am y tro yn deall teimladau ei chwaer. Pan gyraeddasant yr oedd eu mam efo Mrs. Huws a Mair, yn sefyll wrth y llidiart, golwg mi-ddeudais-i -wrthoch-chi ar Mrs. Huws, a golwg bryderus iawn a droes yn wên groesawus ar wyneb ei mam.

"Mi ddylid rhoi'r Winni yna dan glo yn rhwla," meddai Mrs. Huws, "mae hi'n rhy hen i hoed o lawar, dydy hi ddim ffit i fod ymysg plant."

"Ella na fasa'n plant ninna fawr gwell petaen nhw wedi 'u magu yr un fath â hi, Mrs. Huws. Chafodd yr hogan rioed siawns efo'r fath dad, roedd 'i mam hi'n ddynas iawn."

"H-m," meddai Mrs Huws, "ciari-dyms ydy'r lot ohonyn nhw. Tebyg at 'i debyg."

"Mi ddylach chi o bawb wybod, Mrs. Huws," meddai mam Begw gyda'i phwyslais gorau, "mai gras Duw a'ch gyrrodd chi i ffynhonnau Trefriw a chwarfod Mr. Huws, ac nid Twm Ffinni Hadog."

Yna cymerodd afael yn llaw Begw a'i thynnu trwy'r llidiart, a meddai hi wrth Robin pan droai Mrs. Huws a Mair at eu tŷ hwy.

"Well iti ddiolch i Mrs. Huws am gael y fraint o achub Mair o grafanga merch Twm Ffinni Hadog."

A chaewyd drysau'r ddau dŷ.

Ond wedi cyrraedd y tŷ a chael eistedd yn y gadair, dechreuodd meddwl Begw weithio ar yr hyn a glywsai ei mam yn ei ddweud am fam Winni. "Dynas iawn." Daeth yr un cydymdeimlad tuag at Winni ag a gafodd ar y mynydd yn ôl iddi, pan siaradai am ei breuddwydion dydd. Daeth breuddwyd iddi hithau. Fe fynnai fynd i chwilio am Winni a chael ei mam i ofyn iddi ddŵad i de efo digon o jeli, er mwyn ei chlywed yn siarad. Mi fuasai ei mam hefyd wrth ei bodd yn ei chlywed yn siarad ac yn galw pobl yn grachod. Gallai weled web Winni eto fel yr oedd pan siaradai am gael mynd i weini at y Frenhines. Ni allai anghofio'r wyneb hwnnw.

Te yn y Grug, Gwasg Gee

Cyfrinach Gwraig Farw

Guy de Maupassant

ROEDD Y WRAIG WEDI marw yn ddi-boen, yn dawel fel y dylai gwraig sy wedi byw bywyd di-fai wneud. Nawr roedd hi'n gorffwys yn ei gwely, yn gorwedd ar ei chefn, ei llygaid ar gau, ei hwyneb yn dawel, a'i gwallt gwyn wedi'i drefnu'n ofalus fel petai hi wedi ei wneud ddeng munud cyn marw. Roedd wyneb gwelw y wraig farw mor dawel, mor dangnefeddus, mor addfwyn nes gallai rhywun deimlo mai enaid annwyl oedd wedi byw yn y corff hwn, mai bywyd tawel oedd yr hen enaid yma wedi'i fyw, ac mor rhwydd a phur oedd marwolaeth y fam yma wedi bod.

Yn penlinio wrth y gwely roedd ei mab, Barnwr gydag egwyddorion anhyblyg, a'i merch, Marguerite, lleian oedd yn cael ei galw y Chwaer Eulalie, a'r ddau yn crio fel petai eu calonnau ar dorri. Roedd hi, y fam, ers oedden nhw'n blant, wedi rhoi iddyn nhw egwyddorion moesol cryf, gan ddysgu crefydd iddyn nhw heb wendid a dyletswydd heb gyfaddawd. Roedd e, y dyn, wedi dod yn Farnwr ac roedd yn trin y gyfraith fel arf i daro'r gwan heb drugaredd. Roedd hi, y ferch, wedi ei dylanwadu gan y rhinwedd roedd hi wedi ei thrwytho ynddo yn y teulu llym yma, wedi mynd yn lleian oherwydd ei chasineb at ddyn.

Dim ond braidd wedi adnabod eu tad oedden nhw, dim ond gwybod ei fod wedi gwneud eu mam yn anhapus iawn, heb i neb ddweud unrhyw fanylion eraill wrthyn nhw.

Roedd y lleian yn cusanu'n wyllt law'r wraig farw, llaw ifori mor wyn â'r groes fawr oedd yn gorwedd ar y gwely. Ar ochr arall y corff hir roedd y llaw arall fel petai'n dal y llien â gafael y marw, ac roedd y llien wedi cadw'r plygiadau bach fel cof o'r symudiadau olaf sy'n dod cyn y llonyddwch tragwyddol.

Daeth cnocio ysgafn ar y drws a gwneud i'r ddau oedd yn wylo edrych i fyny, ac fe ddaeth yr offeiriad, oedd wedi dod o'i ginio, yn ôl. Roedd e'n goch ac yn fyr o anadl oherwydd tarfu ar dreuliad ei fwyd, oherwydd roedd e wedi gwneud cymysgedd cryf o goffi a brandi er mwyn ymladd blinder y nosweithiau olaf a'r gwylad oedd yn dechrau.

Roedd e'n edrych yn drist, gyda'r tristwch hwnnw y bydd offeiriad sy'n gwneud ei fara beunyddiol allan o farwolaeth yn cymryd arno. Gwnaeth arwydd y groes a dod mlaen mewn osgo broffesiynol:

"Wel, druan blant, rwy wedi dod i'ch helpu chi i dreulio'r oriau olaf trist yma."

Ond cododd y Chwaer Eulalie yn sydyn. "Diolch i chi, ond mae'n well gyda fy mrawd a fi fod ar ben ein hunain gyda hi. Dyma'n cyfle ola ni i'w gweld hi, ac rydyn ni'n dymuno bod gyda'n gilydd, y tri ohonon ni, fel roedden ni... ni'n arfer bod pan oedden ni'n fach a'n ma... mam druan..."

Aeth galar a dagrau yn drech na hi; allai hi ddim mynd mlaen.

Unwaith eto ymgrymodd yr offeriad yn urddasol gan feddwl am ei wely.

"Fel mynnwch chi, fy mhlant." Penliniodd, ymgroesi,

gweddïo, ac yna codi a mynd allan yn dawel, gan furmur, "Roedd hi'n santes!"

Roedden nhw ar eu pen eu hunain nawr, y wraig farw a'i phlant.

Roedd tician y cloc, a hwnnw wedi'i guddio yn y cysgod, i'w glywed yn glir, a thrwy'r ffenest deuai arogl melys gwair a golau leuad tyner. Doedd dim un sŵn arall i'w glywed dros y tir heblaw crawc ambell froga neu rincian hwyrol rhyw bryfyn. Roedd llonyddwch tragwyddol, tristwch duwiol, tangnefedd tawel o gwmpas y wraig farw, ac fel pe'n cael ei anadlu allan ohoni i dawelu natur ei hun.

Yna llefodd y Barnwr, gan ddal i benlinio, â'i ben wedi'i gladdu yn y dillad gwely a'i lais wedi ei newid gan alar a'i fygu gan y blancedi: "Mama, Mama, Mama!" Ac ochneidiodd ei chwaer gan daro'i phen yn wyllt yn erbyn y gwaith coed a chrynu'n ddirdynnol fel pe mewn ffit epileptig: "Iesu, Iesu, Mama, Iesu!" Ac wedi'u hysgwyd gan storm o alar roedd y ddau'n brin o wynt ac yn tagu.

Fe dawelodd y creisis yn raddol ac fe ddechreuon nhw wylo'n dawel, yn union fel y bydd y môr yn tawelu wedi storom.

Aeth llawer o amser heibio ac fe godon nhw ac edrych ar eu mam. Ac fe ddaeth yr atgofion hynny, yr atgofion pell hynny, oedd mor annwyl ddoe, ond heddiw mor boenus, i'w meddyliau gyda'r holl fanylion bach anghofiedig, yr holl fanylion annwyl sy'n gwneud yn fyw yr un sy wedi mynd. Fe adroddon nhw wrth ei gilydd amgylchiadau, geiriau, gwenau, goslefau eu mam na fedrai bellach siarad â nhw. Fe fedren nhw ei gweld hi eto yn hapus a thawel. Fe gofion nhw bethau roedd hi wedi eu dweud, a symudiad bach y llaw fel pe'n cadw amser y byddai hi'n ei wneud pan fyddai hi'n pwysleisio rhywbeth pwysig.

Ac roedden nhw'n ei charu hi yn awr yn fwy nag roedden nhw wedi ei charu hi erioed. Fe fesuron nhw ddyfnder eu hiraeth amdani, a darganfod mor unig y bydden nhw hebddi.

Roedd yr un fu'n eu cynnal, yr un fu'n eu harwain, eu holl ieuenctid, y cyfan o'r rhan gorau o'u bywyd yn diflannu. Fe fydden nhw'n gweld eisiau yr un oedd yn eu cysylltu â bywyd, eu mama, y llinyn cyswllt â'u cyndadau. Bodau unig ar wahân fydden nhw nawr; fedren nhw ddim edrych 'nôl ragor.

Dywedodd y lleian wrth ei brawd: "Wyt ti'n cofio fel y byddai Mam bob amser yn darllen ei hen lythyron – maen nhw i gyd yn y drôr 'na. Gad i ni'n dau yn ein tro 'u darllen nhw; gad i ni fyw ei holl fywyd hi drwyddo heno wrth ei hochr! Fe fyddai gwneud hynny fel y ffordd i'r groes, fel dod i nabod ei mam hi, y tad-cu a'r fam-gu na wnaethon ni byth eu nabod nhw, ond mae'u llythyron nhw fan yna. Roedd hi'n siarad mor amal amdanyn nhw, ti'n cofio?"

Allan o'r drôr fe dynnon nhw rhyw ddeg pecyn bach o bapur melyn, wedi'u clymu'n ofalus a'u trefnu ochr yn ochr. Fe daflon nhw'r llythyron hyn ar y gwely a dewis un ohonyn nhw oedd â'r gair 'Nhad' wedi'i sgrifennu arno. Fe agorwyd e a'i ddarllen.

Roedd e'n un o'r llythyron hen ffasiwn hynny y bydd dyn yn eu darganfod yn nrôr desg y teulu, yr epistolau hynny sy'n arogli o ganrif arall. Roedd yr un cyntaf yn dechrau: 'Fy anwylyd', un arall 'Fy merch fach, brydferth', eraill: 'Fy annwyl chwerthin'. Ac yn sydyn, dechreuodd y lleian ddarllen yn uchel, darllen i'r wraig farw ei holl hanes, ei holl atgofion tyner. Pwysodd y Barnwr ei benelin ar y gwely a gwrando gyda'i lygaid wedi'u hoelio ar ei fam. Roedd y corff disymud yn ymddangos yn hapus.

Gan dorri ar ei thraws ei hun, dywedodd y Chwaer Eulalie yn sydyn: "Fe ddyle rhain fynd i'r bedd gyda hi, fe ddylen nhw gael 'u defnyddio fel amwisg i'w chladdu hi ynddi."

Cymerodd becyn arall, un heb enw arno. Dechreuodd ddarllen mewn llais cadarn: "Fy nghariad, yr un rwy'n ei charu'n angerddol. Ers ddoe rwyf wedi bod yn dioddef poenydio'r rhai colledig, wedi fy mhoeni gan y cof amdanat ti. Rwy'n teimlo dy wefusau yn erbyn fy rhai i, dy lygaid yn fy rhai i, dy fynwes yn erbyn fy un i. Rwy'n dy garu, rwy'n dy garu. Rwyt ti wedi fy ngyrru i'n wallgof. Mae fy mreichiau ar agor, rwy'n ochneidio, wedi fy nghyffroi gan awydd gwyllt i dy ofleidio di eto. Mae fy holl gorff ac enaid yn galw amdanat ti, dy eisiau di. Rwy wedi cadw yn fy ngheg flas dy gusanau..."

Roedd y Barnwr wedi sythu ei gorff. Peidiodd y lleian â darllen. Cipiodd y Barnwr y llythyr oddi arni ac edrych ar y llofnod. Doedd dim llofnod, dim ond y geiriau, *'Y dyn sy'n dy addoli'* – a'r enw *'Henry'*. Enw eu tad oedd Rene. Doedd hwn felly ddim oddi wrtho ef. Edrychodd y mab yn gyflym drwy'r pecynnau o lythyron, cymryd un a darllen: *'Fedra i ddim byw ragor heb gael dy ofleidio di'*. Gan sefyll yn syth, mor llym â phan oedd yn eistedd ar y fainc mewn llys barn, edrychodd yn ddideimlad ar y wraig farw. Eisteddai'r lleian, mor syth â cherflun, gan wylio ei brawd, gyda dagrau'n crynu yng ngorneli ei llygaid. Yna fe groesodd e'r stafell yn araf, codi'r llythyron yn gyflym a'u taflu'n ôl blith draplith i'r drôr. Yna caeodd lenni'r gwely.

Pan ddaeth y wawr a gwneud i'r canhwyllau ar y ford droi'n welw cododd y mab yn araf o'i gadair, a heb edrych eto ar y fam roedd e wedi ei dedfrydu, dywedodd yn araf gan dorri'r llinyn oedd yn uno hi â'i mab a'i merch: "Gad i ni fynd nawr, chwaer."

Addasiad Emyr Llywelyn

Y Dyn yn y Parc

Eleri Llewelyn Morris

YN WAHANOL I'R BOBL eraill yn y parc: y mamau di-nod a'r tadau di-waith yn powlio eu plant mewn pramiau; yr hen dramp a gysgai ar fainc o dan gynfas glytwaith a wnaeth iddo'i hun o ddudalennau papur newydd ddoe; y gwragedd llafurus wedi eu gorchfygu gan bwysau eu bagiau siopio; yr hen ddyn budur mewn macintosh yn sgleinio o saim a stelciai'n llechwraidd yn y llwyn – yn wahanol iddyn nhw, safai'r dyn marmor yn dal ac yn urddasol ar ei bedestl, ei fraich dde wedi ei chodi'n uchel i annerch y dorf. Er ei fod yn llonydd ac yn fud, roedd ganddo fwy o bresenoldeb na'r un o'r bobl a symudai ac a siaradai wrth ei draed, a'r tro cyntaf hwnnw imi ei weld, edrychai i mi fel pe bai'r adar yn moesymgrymu'n isel iddo wrth hedfan heibio.

Wedi troi i mewn i'r parc i ladd amser cyn y cyfweliad oeddwn i. Roeddwn wedi cyrraedd stiwdio cwmni teledu Ffenest gyda hanner awr dda i'w sbario, a phenderfynais dreulio'r hanner awr honno yn nhawelwch y parc gerllaw. Roedd fy nerfau druan wedi bod yn dawnsio ers imi ddeffro ben bore a sylweddoli bod y diwrnod mawr wedi cyrraedd o'r diwedd: dim ond imi wneud yn dda heddiw a gallai un o freuddwydion mwyaf fy mywyd ddod yn wir.

Ers y dyddiau cynnar hynny pan fyddai Mam yn mynd â fi o gwmpas eisteddfodau'r ardal i gystadlu ar y canu a'r adrodd, fy un uchelgais fawr oedd cael gweithio ar y teledu ryw ddydd. Byddwn yn gweld fy hun yn serennu ar y sgrin ym mhob cartref trwy Gymru, ac yn cael f'adnabod ar y stryd gan ddieithriaid llwyr ble bynnag roeddwn yn mynd. Pan welais yr hysbyseb am gyflwynydd yn y papur, penderfynais ei bod yn bryd i mi geisio troi fy mreuddwyd yn ffaith o'r diwedd. Ymgeisiais am y swydd, ac yn fuan wedyn cefais wybod fy mod ar y rhestr fer. Dim ond un bont arall oedd ar ôl.

Roeddwn wedi prynu papur newydd ar fy ffordd i'r parc ond, ar ôl cyrraedd, doeddwn i ddim yn teimlo fel ei ddarllen. Neidiais o ddudalen i ddudalen, gan edrych ar ddim ond y penawdau ac ambell i gartŵn. Dw i'n cofio bod yno un cartŵn creulon – ond clyfar – o Prince Charles, ar goll rhwng ei glustiau, ac un arall o rai o aelodau'r Cabinet wedi eu portreadu fel anifeiliaid: un fel ci, un fel cwningen, un fel cath.

Ar ôl i mi roi'r papur o'r neilltu y gwnes i ddechrau sylwi o ddifri ar y dyn marmor, brenin y parc. O'r fan lle'r oeddwn i'n eistedd, fedrwn i ddim gweld yr ysgrifen ar y plac a oedd yn dweud delw o bwy oedd o a beth oedd o wedi'i wneud yn ystod ei fywyd i haeddu cael ei gofio fel hyn. Ond roedd y ffaith bod delw ohono wedi cael ei gosod yn y parc yn ddigon ynddo'i hun i ddweud bod hwn yn rhywun oedd wedi codi uwchlaw ei gyd-ddynion. A'r bore hwnnw, roedd o'n mynnu fy sylw i. Roeddwn yn ei weld fel symbol o lwyddiant, o enwogrwydd, o ddod ymlaen-yn-y-byd, ac o bopeth roeddwn i'n dymuno bod. Bûm yn eistedd yno am hir yn myfyrio arno a gadewais am fy nghyfweliad am bum munud i un ar ddeg wedi fy ysbrydoli.

Bu tuedd yn'a i erioed i fod braidd yn ofergoelus, a phan aeth y cyfweliad yn dda, a phan gefais wybod ychydig ddyddiau wedyn fy mod wedi cael y swydd, fedrwn i ddim peidio â theimlo bod y dyn yn y parc, mewn rhyw ffordd ddirgel, wedi dod â lwc i mi. Yn wir, ar ôl imi ddechrau ar fy swydd newydd, daeth yn ddefod gen i i edrych i gyfeiriad y ddelw farmor bob bore wrth fynd heibio'r parc i fy ngwaith, yn y gobaith y byddai'r lwc hwnnw'n parhau. Ac yn ystod yr wythnosau cyntaf y bûm yn gweithio gyda chwmni teledu Ffenest, go brin y gallai pethau fod wedi bod yn well.

Roedd pawb yno mor anhygoel o gyfeillgar a chlên; roedd y gwaith wrth fy modd ac aeth y ddwy raglen gyntaf yn dda iawn. Mae'n rhaid cyfaddef fy mod yn mwynhau'r cyffro o berfformio, y sylw yn y stiwdio, a chanmoliaeth hael fy nghyd-weithwyr wedyn. Ond yn fwy na dim, efallai, roeddwn i fy hun yn gwybod fy mod yn cael hwyl ar y cyflwyno a'r holi, a rhwng popeth roeddwn yn teimlo'n uchel chwil.

Roeddwn wrth fy modd hefyd pan gafodd fy llun ei roi ar glawr *Sbec*, gydag erthygl amdana i y tu mewn. Prynodd Mam druan tua dwsin o gopïau o'r *Western Mail* yr wythnos honno er mwyn cael anfon copi o *Sbec* at bawb o'r teulu, ac astudiais innau'r rhifyn i gyd mor fanwl â phe bawn am orfod sefyll arholiad arno, o'r llun lliw ohono i ar y clawr blaen, i eiriad yr hysbyseb ar y cefn!

Ond wrth i'r drydedd raglen gael ei recordio, fe ddechreuodd fy 'lwc' droi. Aeth un o'm gwesteion yn eithaf emosiynol wrth imi ei holi, a chefais innau fy nhaflu oddi ar f'echel ganddo braidd. Am y tro cynta, teimlais fy hun yn colli rheolaeth ar y sgwrs yn y stiwdio, a gallwn glywed fy nghwestiynau yn mynd yn fwy a mwy cloff.

Cafodd rhannau o'r rhaglen eu hailrecordio ond, hyd yn oed wedyn, roeddem i gyd yn gwybod nad oedd dim o sglein y ddwy raglen gyntaf ar hon, ac ar ei diwedd roeddwn i'n teimlo fel mudo i'r lleuad. Roeddwn yn gwybod fy mod wedi methu'n druenus â llywio'r rhaglen y tro hwn ac, yn waeth na dim, fy mod wedi methu o flaen miloedd. Y nos Iau ddilynol, byddai pobl dros Gymru gyfan yn eistedd o flaen eu setiau teledu yn eu tai yn fy ngwylio i'n baglu fy ffordd trwy'r rhaglen, ac o feddwl amdanaf yn cael fy ngweld felly mewn cartrefi ar hyd a lled y wlad, fe es i deimlo mor noeth ag Efa. Roedd y cywilydd yn fy ysu, ac roeddwn yn dyheu am gael cuddio.

Yna, rhyw wythnos yn ddiweddarach, daeth halen ar y briw. Roedd gen i ddiwrnod i mi fy hun, i ffwrdd o'r gwaith, ac roeddwn yn bwriadu bachu ar y cyfle i beintio'r fflat. Fel roeddwn yn cael tamaid o frecwast, clywais sŵn fy mhapurau newydd yn cael eu gwthio trwy'r drws, a chofiais ei bod yn ddiwrnod un o fy mhapurau Cymraeg. Penderfynais gael cip sydyn trwyddo cyn mynd i'r afael â'r paent ond, wrth i mi droi'r tudalennau, chwalodd teimlad bach rhyfedd, fel sioc ysgafn o drydan, drosta i i gyd. Yno, yn y golofn deledu, roedd fy enw i mewn print, a sylweddolais ar unwaith fod fy rhaglen yn cael ei hadolygu. Ceisiais gael fy llygaid i lyncu'r geiriau, un paragraff ar y tro, er mwyn cael gwybod cyn gynted ag oedd yn bosib beth oedd yn cael ei ddweud.

Roedd yr adolygydd yn dechrau trwy ddweud ei fod heb weld y ddwy raglen gyntaf yn y gyfres – ond, yn anffodus, ei fod wedi gweld y drydedd! Aeth yn ei flaen i ladd ar y rhaglen yn y modd mwyaf ofnadwy – gan ymosod yn ffiaidd, ac yn bersonol iawn, arna i.

Chafodd fy fflat mo'i pheintio y diwrnod hwnnw. Yn wir, fedrais i ddim gwneud unrhyw beth o gwbl trwy'r dydd ond darllen yr adolygiad, a meddwl a meddwl am bopeth roedd yr adolygydd wedi'i ddweud. Bûm yn meddwl llawer am yr adolygydd ei hun hefyd, ac yn ceisio dychmygu sut ddyn oedd y dieithryn hwn y byddwn yn sicr o'i gasáu am byth. Mae'n wir bod ei enw'n blaen ar y tudalen, ond roedd o'n dal i fod mor ddiwyneb i mi â'r lleidr neu'r terfysgwr gyda hosan dros ei ben; mor anhysbys â'r bomiwr nad yw byth yno i weld effaith y difrod y mae wedi'i achosi.

Er na wnaeth treulio diwrnod cyfan ar fy mhen fy hun yn hel meddyliau fawr o les i mi, roedd wynebu pawb yn y gwaith fore trannoeth yn saith gwaeth. Wrth i mi nesáu at ddrws y swyddfa, gallwn glywed murmur lleisiau oddi mewn, ond pan agorais y drws tawelodd pawb ar unwaith a bu rhyw ddistawrwydd anghyfforddus yn y stafell am sbel. Soniodd neb air am yr adolygiad trwy'r bore, ond roedd copi o'r papur ar y bwrdd a doedd gen i fawr o amheuaeth beth oedd testun eu sgwrs cyn i mi gerdded i mewn.

Y gyntaf i sôn am y peth yn agored wrtha i oedd Non Maredudd, cyflwynydd rhaglen arall, a oedd wedi bod yn gyfeillgar iawn tuag ata i ers imi ddechrau yn fy swydd. Daeth draw yn ystod yr awr ginio i gydymdeimlo, ond er cymaint y condemniai hi'r adolygiad, roedd y sbarc yn ei llygaid a'r sbonc yn ei llais yn gwrth-ddweud ei geiriau i gyd. Gallwn ddweud bod Non Maredudd wrth ei bodd.

Cefais gyfle i gael sgwrs â'r cynhyrchydd yn ystod y pnawn a chodais i'r pwnc cyn iddo fo wneud. Roedd o'n llawn cydymdeimlad, a cheisiodd fy nghysuro: "Mae'n rhaid i ti gael croen fel eliffant yn y busnas yma, 'sti," meddai. "Ddoi di byth i ben os ei di i wrando ar bawb. Cofia di – barn un person yn unig ydy adolygiad, ac os ydy rhywun yn adolygu yn yr ysbryd yna, dydy 'i farn o ddim gwerth 'i rhegi. A chofia di beth arall hefyd: mae'n haws o beth goblyn iddo fo ista yn 'i gadar freichia o flaen y tân adra a beirniadu'r bobol mae o'n 'u gweld ar y bocs, na mynd o flaen y camera 'na 'i hun a gneud yn well!"

Ond roedd o'n dal i frifo, ac un o'r pethau gwaethaf ynglŷn â'r holl fusnes oedd ei fod wedi gwneud i mi amau pawb. Ar ôl gweld trwy Non Maredudd, dechreuais feddwl tybed oedd y bobl eraill o'm cwmpas mor glên ag roedden nhw'n ymddangos, ac fe es i feddwl fwyfwy beth oedden nhw'n ei ddweud amdana i y tu ôl i fy nghefn.

O hynny allan, aeth fy mherfformiad i lawr yr allt o raglen i raglen, ac fel roeddwn yn ceisio adfer rhywfaint ar fy hyder cefais gnoc arall nes fy mod yn fflat yn f'ôl ar lawr. Roeddwn wedi gwahodd Mai a Haf, y merched oedd yn rhannu'r fflat drws nesaf, draw am bryd un noson. Aeth popeth yn iawn nes i mi droi'r teledu ymlaen. Rhaglen ddychanol newydd oedd arni – a theimlais fy hun yn mynd yn swp sâl pan sylweddolais mai y fi oedd un o'r actoresau ar y sgrin yn ceisio'i dynwared. Yn ei dehongliad clyfar – ond creulon – ohona i, gwelais fy holl ddullweddau bach o dan chwyddwydr, a sylwais fod Mai a Haf yn cael trafferth i guddio'u chwerthin. Yn y gwaith drannoeth, sylwais ar fwy nag un yn chwerthin yn ei ddwrn.

Daeth rhyw hen deimlad noeth, diamddiffyn, rhyfedd drosta i unwaith eto, a'r noson honno breuddwydiais fy mod mewn stafell â'i llond hi o ddrychau cam. Roeddwn yn edrych yn dew ac yn grwn mewn un drych, ac yn hir ac yn fain mewn un arall, a gallwn glywed lleisiau'n crechwenu am fy mhen dros bob man. Pob hyn a hyn, roeddwn yn tybio fy mod yn gweld drws yn un o'r waliau ond, wrth i mi redeg ato, byddai hwnnw hefyd yn troi'n ddrych, nes fy mod yn gweld fy hun yn edrych yn ôl arna i fy hun, mewn rhyw siâp rhyfedd neu'i gilydd, dro ar ôl tro.

Cyn gynted ag yr oedd y rhaglen nesaf wedi ei recordio,

neidiais i'r car a gyrrais am adref. Roeddwn yn teimlo bod yn rhaid i mi gael seibiant am ddiwrnod neu ddau. Wedi i mi gyrraedd, fodd bynnag, doedd dim i'w gael gan Mam ond fy mod yn edrych yn llwyd ac yn flinedig; ei bod yn amlwg fy mod yn gweithio'n rhy galed a bod arna i angen potel o donic reit dda. Yn y diwedd, cytunais i fynd i weld y meddyg yn y bore gan ei bod hi'n swnian mor ddi-dor.

Tra oeddwn yn eistedd yn y stafell aros yn disgwyl fy nhro drannoeth, digwyddais sylwi ar y cylchgronau ar y bwrdd o fy mlaen. Roedd un â'i ben i lawr ond roeddwn yn gwybod ar unwaith, o'r hysbyseb ar y cefn, mai'r rhifyn o *Sbec* gyda fy llun i ar y clawr oedd o. Roedd gen i gymaint o feddwl o'r llun hwnnw, a phlygais i godi'r copi er mwyn cael golwg arno eto. Ond pan welais i'r clawr, fedrais i ddim atal fy hun rhag rhoi ochenaid dros y stafell: roedd fy llun i arno fel o'r blaen, wrth gwrs, ond roedd rhywun wedi bod wrthi'n brysur gyda beiro ddu yn gwneud llun sbectol a mwstásh a locsyn ar fy wyneb, a rhes o ddannedd duon yn fy ngheg.

Sawl gwaith y bûm i fy hun wrthi yn gwneud yr un peth i wynebau mewn cylchgronau a phapurau newydd, a llyfrau yn yr ysgol? Sawl actores hardd y bûm yn ei haddurno gyda mwstásh a locsyn? Sawl bardd neu lenor oedd yn edrych yn debycach i *vampire* ar ôl i mi dynnu llun dau ffang hir yn dod o'i geg a lliwio gwyn ei lygaid â beiro goch? Ond doedd fy holl brofiad o ddifwyno lluniau dros y blynyddoedd ddim wedi fy mharatoi ar gyfer hyn, a phan ddaeth yn bryd i mi fynd trwodd at y meddyg o'r diwedd roeddwn yn teimlo mor barod am botel o donic ag roedd Mam yn mynnu fy mod...

Roedd fy rhaglen i ar y teledu y noson honno, ond

doedd gen i ddim awydd yn y byd i'w gweld. Felly ffoniais Nia, fy ffrind gorau, yn y gobaith y byddai hi'n teimlo fel mynd allan, a threfnais ei chyfarfod mewn tafarn leol am wyth. Roeddwn wedi amau o'r blaen bod Nia wedi mynd braidd yn rhyfedd ers imi gael swydd ar y teledu, a'r noson hon cafodd fy nheimladau eu cadarnhau. Gwelais yn fuan ei bod yn chwilio am unrhyw esgus i fy nghyhuddo o fod wedi newid ers mynd i weithio i fyd y cyfryngau, ac roeddwn yn teimlo bod yn rhaid imi fod yn ofalus iawn o bopeth roeddwn yn ei ddweud. Wnaeth hi ddim fy holi o gwbl am fy ngwaith a fy mywyd newydd, a chefais yr argraff ei bod yn awyddus i osgoi unrhyw bwnc oedd yn ei hatgoffa hi bod ei hen ffrind bellach yn un o sêr y sgrin. Yn y diwedd, dechreuais i sôn am fy ngwaith wrthi.

"Y Non Maredudd 'na sy'n dda am gyflwyno, 'te?" meddai hithau'n ôl.

"'O ia," meddwn innau: beth arall ddywedwn i? "Mae Non yn dda iawn."

"Ydy, mae hi. Dw i wedi clwad llawar iawn yn 'i chanmol hi."

"Do, dw i'n siŵr."

"Hogan ddel ydy hi 'fyd, 'te?"

"Ia... del iawn."

"Ac mae hi'n gwisgo'n smart. Mi welis i hi mewn rwbath del iawn wsnos dwaetha: fel siwt mewn rhyw liw coch tywyll, tlws, a'r sgwydda a'r belt am y canol wedi'u cwiltio. Wyddost ti p'run ydw i'n 'i feddwl?"

"Na wn i fel'na."

Daeth ein sgwrs i ben yn sydyn pan roddodd rhywun y set deledu ymlaen yn y gornel. Doedd Nia na minnau'n falch iawn o weld mai fy rhaglen i oedd ar y sgrin. Ond ar hynny, tynnwyd fy sylw gan ddau gwpwl oedd yn eistedd wrth ein hymyl.

"O, yli pwy sy ar y *television*, Nel," meddai un o'r dynion wrth un o'r merched. "Yr hen hogan 'na fyddi di ddim yn licio!"

"Pwy?" meddai Nel, gan godi'i phen. "O, honna? Dda gin i mo'ni!"

"Be, dwyt ti ddim yn 'i licio hi, Nel?" gofynnodd y wraig arall, fel pe bai hynny heb gael ei sefydlu'n barod.

"'I licio hi? Fedra i mo'i diodda hi!" atebodd Nel, ac aeth y tri arall i chwerthin wrth ei gweld hi'n mynd i hwyl.

"Pam hynny 'ta, Nel?" gofynnodd yr ail ddyn, yn ceisio tynnu arni. "Mae hi'n udrach yn beth bach digon handi i mi."

"O, fedra i ddim deud wrthat ti pam; dw i jest ddim yn 'i licio hi."

"Ond wyddost ti pwy ydy hi?" meddai'r wraig arall. "Mae hi'n dŵad o ffor' hyn. Rhai o'r Llan ydy 'i theulu hi, 'sti."

"Wel, dydw i ddim yn 'i nabod hi na'i theulu," datganodd Nel lond ei cheg, "a does arna i ddim isio'u nabod nhw 'chwaith."

Gallwn weld bod Nia wrth ei bodd.

"Nel, 'y nghariad i," meddai'r ail ddyn eto, yn llawn cellwair, "fedra i ddim ista'n fama'n dy weld ti'n diodda fel hyn! Liciat ti i mi droi'r *television* ar *channel* arall i chdi?"

"Ella bod y genod 'na'n fanna yn sbio arni hi," meddai Nel, gan amneidio aton ni. "Sa'n well i ti ofyn iddyn nhw."

Teimlais banic yn cau amdanaf o fy nghorun i fy sawdl,

a baglais am y drws ac allan cyn iddo gael cyfle i wneud dim o'r fath beth!

Roedd yn gas gen i feddwl am fynd yn ôl i'r gwaith drannoeth ond doedd gen i ddim dewis: roedd rhaid i mi fynd. Cyrhaeddais y stiwdio gyda deng munud da i'w sbario, a chan nad oedd arna i eisiau treulio munud yn fwy yno nag oedd yn wironeddol raid penderfynais fynd i ladd amser yn nhawelwch y parc. Eisteddais ar y fainc lle bûm yn eistedd ar fore'r cyfweliad ac edrychais, fel o'r blaen, ar y dyn marmor ar draws y lawnt.

Cofiais fel y bûm yn meddwl ei fod wedi dod â lwc i mi – ond rhyw lwc rhyfedd ar y naw oedd o, fel roeddwn wedi darganfod erbyn hyn. Gwelais ef fel symbol o lwyddiant ac enwogrwydd ac roeddwn innau'n dyheu am gael y pethau hynny – cyn gweld bod y person llwyddiannus yn ennyn cenfigen ei gyd-ddyn, a bod y person enwog yn darged i bawb...

Yn wir, wrth i mi edrych ar y dyn marmor o fy mlaen, sylwais yn sydyn ei fod o'n fudur ofnadwy. A deallais o'r diwedd y pris roedd yn rhaid iddo'i dalu am gael sefyll ar ei bedestl yn y parc uwchlaw pawb arall: roedd yr adar i gyd yn cael gwneud eu busnes am ei ben.

Genod Neis, Y Lolfa

Y Cwilt

Kate Roberts

AGORODD Y WRAIG EI llygaid ar ôl cysgu'n dda trwy'r nos. Ceisiai gofio beth oedd yn bod. Yr oedd rhywbeth yn bod, ond am eiliad ni allai gofio beth; megis y bydd dyn weithiau y bore cyntaf ar ôl i rywun annwyl ganddo farw yn y tŷ. Yn raddol, daw i gofio bod corff yn yr ystafell nesaf. Felly Ffebi Wiliams y bore hwn. Ond nid marw neb annwyl ganddi oedd y gofid yn ei hisymwybod hi. Yn raddol (os iawn cyfrif graddoldeb mewn gweithred na chymer ond ychydig eiliadau i ddigwydd) daeth i gofio mai dyma'r dydd yr oedd y dodrefn i fynd i ffwrdd i'w gwerthu. Daeth y boen a oedd arni neithiwr yn ôl i bwll ei chalon. Syllodd o'i blaen at y ffenestr gan geisio peidio â meddwl. Yna, trodd ei phen at ei gŵr. Yr oedd ef yn cysgu, a chodai ei fwstás yn rheolaidd wrth i'w anadl daro ar ei wefus uchaf. Yr oedd o dan ei lygaid yn las a'i wyneb yn welw, ac edrychai am funud fel petai wedi marw. Syllodd hi arno ef yn hir, a thrwy hir syllu gallodd ei dynnu i ddeffro. Edrychai John yn ffwndrus ar ôl agor ei lygaid. Yr oedd glas ei lygaid yn ddisglair, a gwenodd ar ei wraig, fel petai'n mynd i ddweud ei freuddwyd wrthi. Eithr rhoes ei ddwylo dan ei ben ac edrychodd o'i flaen at y ffenestr. Bu'r ddau'n hir heb ddweud dim.

"Waeth inni heb na phendwmpian," meddai ef toc, gan godi ar ei eistedd.

"Na waeth," meddai hithau, heb wneud yr un osgo i godi. "Waeth inni godi."

"Na waeth."

"Codi fydd raid inni."

"Ia."

Gan mai'r wraig a godai gyntaf bob dydd, disgwyliai John Williams iddi wneud hynny heddiw. Eithr daliai hi i orwedd mor llonydd â darn o farmor.

Toc, tybiodd ef y byddai'n well iddo godi. Byddai'r cludwyr yno yn ôl y dodrefn yn fuan. Cododd a gwisgodd amdano'n araf, gan edrych allan drwy'r ffenestr wrth gau ei fotymau. Ni ofynnodd i'w wraig pam na chodai hi.

Wedi iddo fynd i lawr y grisiau, daliai Ffebi Williams i syllu drwy'r ffenestr ar yr awyr a orweddai ar orwelion ei hymwybyddiaeth. Ni chofiai fore ers llawer o flynyddoedd pan gâi gorwedd yn ei gwely a syllu'n ddiog ar yr awyr, pan fyddai ei meddwl yn wag a'r awyr yn llenwi ei holl ymwybod. Heddiw, nid oedd ond un peth ar ei meddwl, sef y ffaith bod ei phriod wedi torri yn y busnes, a bod eu holl ddodrefn, ar wahân i'r ychydig bethau a oedd yn hollol angenrheidiol iddynt, yn mynd i'w gwerthu. Hyn a fu ar ei meddwl hi a'i gŵr ers misoedd bellach, ym mhob agwedd arno. Meddyliasai'r ddau gymaint am yr holl agweddau arno, fel nad arhosai dim ond y ffaith noeth i drosi yn eu meddyliau erbyn hyn.

Flynyddoedd maith yn ôl, yn nyddiau cyntaf eu hantur, yr oedd ar Ffebi Wiliams ofn i ddiwrnod fel hwn wawrio arni. Fe freuddwydiodd lawer gwaith y gwnâi, ac ni faliasai lawer pe gwnelai. Yr oedd rhyw ysbryd rhyfygus ynddi y pryd hwnnw. Nid oedd dim gwahaniaeth ganddi pe byddai hi'n colli'r holl fyd. Yr oedd hi a'i gŵr wedi plymio i'r dŵr, ac yr oedd yn rhaid nofio. Pan oedd llifogydd weithiau o'u tu ac weithiau yn eu herbyn, yr oedd yn hawdd taflu pryderon i ffwrdd. Yr oeddynt yn ormod i ddechrau poeni yn eu cylch.

Eithr llwyddodd y busnes, ac wrth iddo gerdded yn ei bwysau, ciliodd yr ofnau cyntaf. Cafwyd blynyddoedd fel hyn. Fodd bynnag, ychydig flynyddoedd yn ôl, dechreuodd pethau fynd ar y goriwaered. Tua blwyddyn yn ôl, yr oeddynt yn sicr eu bod yn mynd i lawr yr allt yn gyflym aruthrol. Yr oedd y braw o ddeall hynny fel clywed bod câr agos yn wael heb obaith gwella. Ar ôl y sioc gyntaf, roedd hithau wedi derbyn ei thynged yn dawel, yr un fath ag y derbynnir marw'r dyn gwael. Ond a oedd hi'n ei derbyn yn dawel? Methodd godi heddiw. Gwendid neu ystyfnigrwydd oedd hynny. Ni wyddai pa'r un. Dechreuodd achosion eu torri droi yn ei hymennydd eto, fel y gwnaeth ar hyd y misoedd. Siopau'r hen gwmnïau mawr yna tua'r dre oedd y drwg, yn gwerthu bwydydd rhad a'u cario erbyn hyn ddwywaith yr wythnos at ddrysau tai pobl. Mor ffiaidd oedd hi arni hi a'i gŵr a roes goel i'r bobl hyn ar hyd y blynyddoedd, eu gweld yn talu ar law i bobl y faniau. Fe obeithiasai hi lawer gwaith y caent wenwyn wrth fwyta'r hen fwydydd tuniau rhad, ac y caent blorod hyd eu hwynebau. Mor falch ydoedd unwaith o ddarllen i un o'r cwmnïau mawr yma gael ei ffeinio oblegid i rywun gael gwenwyn.

Yr oedd hi a'i gŵr wedi mynd yn rhy hen i ymladd erbyn hyn. Dyna'r gwir. Ac allai hi ddim, beth bynnag, ymostwng i'w thynged. Doedd colli'r holl fyd ddim mor hawdd ag y tybiai hi gynt yn ei hieuenctid. Nid peth ysgafn oedd ymwacáu a mynd ymlaen wedyn. Yr oedd damcaniaeth yr ymwacâd yn iawn fel damcaniaeth, rhywbeth i ddynion segur ddadlau arno. "Ond treiwch hi," meddai Ffebi Wiliams wrthi hi ei hun bore heddiw. Yr oedd ei gafael yn dynnach nag erioed mewn pethau. Cofiai'r holl storïau a glywsai hi erioed am gybyddion yn marw, a'u gafael yn dynnach nag erioed ar y byd yr oedd yn rhaid iddynt ei adael. Gallai ddeall rhywfaint arnynt heddiw. Ni allasai erioed o'r blaen. Digon hawdd oedd iddi hi, a phob pregethwr a bregethodd erioed ar y gŵr ifanc goludog a aeth ymaith yn athrist, sôn a meddwl bod colli'n beth hawdd. Yn ystod ei bywyd hi a'i gŵr yn y busnes, fe deimlodd lawer gwaith fod y byd yn mynd i ddisgyn am ei phen. Cilio oddi wrthi yr oedd y byd heddiw a'i gadael hithau ar ôl.

Clywai sŵn tincian llestri yn y gegin, ac aeth ei meddwl am funud at ei hangen presennol – bwyd. Yna cofiodd fel y dywedodd ei gŵr fod yn rhaid gwerthu *popeth* ond yr ychydig bethau y byddai eu hangen arnynt, er mwyn talu cymaint ag oedd yn bosibl o'u dyledion. Cydolygai hithau ar y foment – moment o gynhyrfiad, mae'n wir. Ond ar foment o gynhyrfiad y gorfyddir ar rywun benderfynu'n sydyn bob amser. Erbyn hyn byddai'n well ganddi petai'n gorfod gwerthu'r pethau angenrheidiol a chadw'r pethau amheuthun. Y pethau amheuthun a roesai iddi bleser wrth eu prynu: pethau nad oedd yn rhaid iddi eu cael, ond pethau a garai ac a brynai o flwyddyn i flwyddyn fel y cynyddai eu helw – cadair esmwyth, hen gist, cloc, neu ornament.

Yna daeth adeg o gynilo a stop ar hynny. Dim arian i brynu dim. Byw ar hen bethau. Aros gartref.

Ond rywdro, wedi iddynt ddechrau mynd ar i lawr, fe aeth i sioe efo'i gŵr, am ei bod yn ddiwrnod braf yn yr haf, a hwythau heb obaith cael mynd oddi cartref am wyliau. Er bod tywydd braf yn codi dyhead ynddi am ddillad newydd, eto fe godai ei hysbryd hefyd. Os oedd haul yn dangos cochni hen ddillad, fe gynhesai ei chalon er hynny. Cyfarfu â hen ffrind yn y sioe yn edrych yn llewyrchus iawn, yn gwisgo dillad sidan ysgafn o'r ffasiwn ddiweddaraf, a hithau, Ffebi, yn gwisgo ei siwt deirblwydd oed.

"O, Ffebi, mae'n dda gen i'ch gweld chi," meddai'r ffrind, ac yr oedd dylanwad yr haul ar galon Ffebi yn gwneud iddi hithau deimlo'r un fath.

"Wyddoch chi be'?" meddai'r ffrind. "Mae yna gwiltiau digon o ryfeddod ar y stondin acw. Dowch i'w gweld."

A gafaelodd yn ei braich a'i thynnu tuag yno.

Yno fe gafodd Ffebi demtasiwn fwyaf cyfnod ei chynilo, a bu'n ymgodymu â hi fel petai'n ymladd brwydr â'i gelyn. Yr oedd yno wlanenni a chwiltiau heirdd, ac yn eu canol un cwilt a dynnai ddŵr o ddannedd pawb. Gafaelai pob gwraig ynddo a'i fodio wrth fyned heibio a thaflu golwg hiraethlon arno wrth ei adael. Cwilt o wlanen wen dew ydoedd, a rhesi ar hyd-ddo – rhesi o bob lliwiau, glas a gwyrdd, melyn a choch, a'r rhesi, nid yn unionsyth, ond yn gwafrio. Yr oedd ei ridens yn drwchus ac yn braw o drwch a gwead clòs y wlanen. Daeth awydd ar Ffebi ei brynu, a pho fwyaf yr ystyriai ei thlodi, mwyaf yn y byd y cynyddai ei hawydd.

"Ond tydi o'n dlws?" ebe'r ffrind.

Ni ddywedodd Ffebi air, ond sefyll yn syn. Gadawodd ei ffrind heb ddweud gair ac aeth i chwilio am ei gŵr. Eglurodd iddo fod arni eisiau arian i brynu'r cwilt ar unwaith, rhag ofn i rywun arall ei brynu. Edrychai ei gŵr yn anfodlon er na ddywedai ddim. Ped edrychasai fel hyn yn yr hen amser, pan oedd ganddynt ddigon o arian, byddai'n ddigon iddi beidio â phrynu'r cwilt. Yr oedd ei dyhead heddiw, dyhead gwraig ar dranc, yn drech nag unrhyw deimlad arall. Cafodd yr arian a phrynodd y cwilt. Wedi myned ag ef adref, rhoddodd e ar y gwely, a theimlodd ef ar ei hwyneb er mwyn cael syniad o'i deimlad. Bron na hiraethai am y gaeaf. Cofiodd rŵan fod y cwilt yn y gist yn barod i'w werthu, a daeth iddi ddyhead cyn gryfed am ei gadw ag a oedd iddi am ei brynu. Penderfynodd na châi'r cwilt, beth bynnag, fynd i'r ocsiwn.

Ar hynny, daeth ei gŵr i'r ystafell â dau hambwrdd ganddo. Peth amheuthun hollol iddi oedd brecwast yn ei gwely, ond fe'i cymerai'n ganiataol heddiw, ac ymddygai ei gŵr fel petai'n hollol gynefin dyfod â brecwast i'w gwely iddi.

Cododd ar ei heistedd, y symudiad cyntaf o eiddo ei chorff er pan aethai ei gŵr i lawr y grisiau, ac eisteddodd yntau ar draed y gwely. Ni allai'r un o'r ddau siarad fawr. Yn wir, daeth newid rhyfedd drosti hi. Yr oedd y te'n boeth ac yn dda, a charai ei glywed yn mynd drwy ei chorn gwddw ac i lawr ei brest yn gynnes. Yr oedd y bara menyn yn dda hefyd, a'r frechdan yn denau. Trôi ef ar ei chnôi ef yn hir. Edrychodd ar ei gŵr.

"Mae o'n dda," meddai hi.

"Ydi," meddai yntau, "mae o. Ro'n i'n meddwl 'mod i wedi torri gormod o fara menyn, ond dydw i ddim yn meddwl 'mod i."

"Nag ydach," meddai hithau, gan edrych ar y plât.

Teimlai Ffebi wrth fwyta yn rhyfeddol o hapus. Yr oedd yn hapus am fod ei gŵr yn eistedd ar draed y gwely. Ni chawsai hamdden erioed yn y busnes i eistedd a bwyta'i frecwast felly. Hwi ras oedd hi o hyd. Rhyfedd mai heddiw o bob diwrnod y caent yr hamdden. Yr oedd yn hapus wrth fwyta'i bwyd hefyd, clywed ei flas yn well nag y clywodd ef erioed, er nad oedd ddim ond bara menyn a the. Medrodd ymddihatru oddi wrth y meddyliau a'i blinai cyn i'w gŵr ddyfod i fyny, a theimlo fel y tybiodd flynyddoedd maith yn ôl y gallai deimlo wedi colli popeth. Nid oedd yn malio am funud beth bynnag, a theimlai fod holl hapusrwydd ei bywyd wedi ei grynhoi i'r munudau hynny o fwyta'i brecwast. Teimlai fel pe na buasai amser o'i flaen nac ar ei ôl. Nid oedd ddoe nac yfory mewn bod. Hwnnw oedd Y Presennol Mawr. Ac eto beth oedd bywyd ar ei hyd ond meddwl am yfory? Ni buasai eisiau i neb fynd i waith nac i fusnes oni bai fod yfory mewn bod. Ond nid oedd yn bod rŵan, beth bynnag, i Ffebi Wiliams. Cafodd oruchafiaeth ar ei gofid yn yr ychydig funudau gogoneddus hynny.

Dyma sŵn men fodur drom wrth y llidiart.

"Dyna hi wedi dŵad," ebe John, a chymerodd y ddau hambwrdd ar frys a rhuthro i lawr y grisiau. Gorweddodd hithau'n ôl gan lithro i'r un syrthni ag o'r blaen. Clywai'r drysau'n agor a sŵn traed yn cerdded. Yr oedd sŵn symud i'w glywed ym mhobman hyd y tŷ ar unwaith fel y bydd mudwyr dodrefn. Traed y dodrefn yn rhygnu ar hyd y llawr a chadeiriau'n taro yn ei gilydd. Ymhen eiliad dyma sŵn traed yn rhedeg i fyny'r grisiau a'u perchenogion yn chwibanu'n braf. I mewn â hwy i'r ystafell nesaf. Y gwely'n gwichian yn y fan honno wedyn. Neidiodd Ffebi Wiliams allan o'i gwely ac i'r gist. Tynnodd y cwilt allan ac aeth yn ôl efo fo i'r gwely ac eistedd. Lapiodd ef amdani gan ei roi dros ei phen. Gallai ei gweled ei hun yn nrych y bwrdd a safai yn y gongl.

Roedd fel hen wrach, y cwilt yn dynn am ei hwyneb, ac yn codi'n bigyn ar ei phen. Ar hyn dyma agor y drws gan un o'r cludwyr dodrefn, bachgen ifanc. Pan welodd hwnnw Ffebi Wiliams yn ei gwely felly, aeth yn ôl yn sydyn.

Ymhen ychydig eiliadau clywai hithau chwerthin yn dyfod o ben draw'r landing.

Ffair Gaeaf a Storïau Eraill, Gwasg Gee

UNIGRWYDD

Y Gell

Caryl Lewis

GWASGODD Y GWRES EI ddwylo llydan ar draws wyneb y dyn. Agorodd hwnnw ei lygaid gan geisio cymryd anadl ddofn. Edrychodd o'i gwmpas am eiliad cyn rhwbio cefn ei wddf yn ddryslyd. Gwnaeth y chwys ddefnydd ei grys yn dryloyw. Tynnodd ei draed noeth oddi ar gefn llyfn y ddesg o'i flaen. Ceisiodd fachu bys o dan ei goler ond roedd hwnnw wedi ei ddatod hyd at ei fogel yn barod. Gwthiodd ei gadair yn ôl cyn cerdded at y ffenest agored. Roedd prynhawn aeddfed yn gwasgu'n drwm ar y coed ac adar y si'n plycio trwy'r awyr, a'u hadenydd yn gymylau. Edrychodd drwy'r ffenestr a'i olwg yn pefrio wrth i'r gwres rhowlio'n donnau ar hyd y pridd llychlyd. Byddai'r sicedau'n dechrau fflamio'u sŵn yn y llwyni cyn hir. Pwysodd drwy'r ffenest agored a thynnu ar un o'r dail. Gwasgodd hi at ei foch gan deimlo'r oerfel braf yn diflannu ar gynhesrwydd ei gnawd.

Roedd y gwres wedi toddi'r wythnosau'n fisoedd a'i farf wedi tyfu'n feddal ac yn hir erbyn hyn. Er iddo 'molchi bob bore, byddai'r chwys yn gwasgu trwy'i groen cyn iddo orffen sychu. Yn y sgwaryn bach porpoeth hwn, roedd ei awch am fwyd gymaint yn llai a'i allu i gysgu bron wedi diflannu. Bu'r bwthyn bach pren yng nghanol y goedwig yn ddihangfa iddo a'r unig gwmni a gafodd oedd aderyn lliwgar a eisteddai mewn caetsh ar y feranda a Vania a ddeuai bob nawr ac yn y man â bocs o fwyd iddo cyn gadael yn ara am adref, ei chluniau mawrion yn gwneud i'w chorff symud o'r naill ochr i'r llall wrth fynd. Holodd hi unwaith am yr aderyn bach. Dywedodd iddo fod yno ers pan oedd hi'n groten fach. Chwarddodd, gan dynnu ar un o gudynnau llwyd ei gwallt, gan hiraethu na allai popeth mor hen barhau mor lliwgar. Bob tro byddai Vania'n gadael, a'i chwerthin yn disodli'r adar yn y coed, byddai'r tŷ yn teimlo'n dawelach rywffodd a'i lais ei hun yn swnio'n lletchwith ac yn hyll wrth iddo siarad â'r aderyn bach a gwthio hadau sgleiniog trwy fariau rhydlyd y caetsh.

Trodd i edrych ar y ddesg. Roedd y stafell lom yn hesb o addurniadau heb ddim ond desg lydan wrth un wal. Ar honno, gorweddai taflenni o bapurau gwynion gwag fel adenydd toredig. Roedd ganddo eiriau a syniadau yn suo fel gwenyn o'i gwmpas ond gorweddai'r papurau yno'n styfnig er ceisio'u pryfocio â'i eiriau. Ceisiodd dynnu anadl hir ond aer fel dŵr cynnes a lenwodd ei ysgyfaint ac ni chafodd ryddhad. Fe fydden nhw i gyd yn disgwyl am y llyfr – yn crefu ac yn crafu, yn awchus fel papur blotio. Ond roedd hi'n rhy boeth i feddwl, yn rhy boeth i gysgu, yn rhy boeth i naddu geiriau.

Cerddodd ar hyd y llawr pren a thynnwyd ef at yr hen gegin. Oedodd i gydio mewn mango o'r bocs bwyd. Gwasgodd bersawr y ffrwyth i'w drwyn a theimlo'r cnawd yn feddal o dan ei fysedd. Doedd e ddim wedi bwyta ers dyddiau. Roedd grân ar y ffrwyth a'r croen yn sgleinio'n iachus ac am eiliad fe feddyliodd amdani hi. Fe fyddai Maria ac ef yn bwyta ffrwythau gyda'i gilydd. Tynnodd ei gyllell o'i boced. Cyllell agor amlenni oedd hi'n wreiddiol ond roedd yntau wedi ei thynnu ar hyd dolen drôr y ddesg mor aml dros y misoedd fel ei bod hi wedi miniogi'n ddansierus erbyn hyn.

Gwasgodd drwy groen y ffrwyth a'r sudd yn diferu'n felyn ar hyd ei ddwylo. Caeodd ei lygaid am eiliad wrth i'r arogl ei dynnu'n ôl at ei choesau, ei phwysau ar ei ben a'i chnawd yn cadw ei siâp o dan ei wefusau. Suddodd ei ddannedd cyn agor ei lygaid. Blas dŵr. Crychodd ei drwyn a thaflu'r ffrwyth galon-galed â'i holl nerth i gornel y stafell.

Dechreuodd nosi a'r brogaod eisoes yn creu eu caneuon yn y gwyll. Byddai'r awyr yn meddalu yr adeg yma o'r prynhawn, y pridd yn oeri ac yn llacio gan ollwng arogl fel bisgedi almwnd. Cerddodd yn ôl a gorwedd ar y matras brwnt ar bwys y ddesg a sudd y mango'n dal yn ludiog ar ei fysedd. Roedd y lleuad wedi ei gwasgu o'r ffurfafen a chymylau duon yn raddol lenwi'r awyr. Teimlai ei anadlu'n arafu a syrthiodd i gwsg anghyfforddus.

Agorodd ei lygaid. Roedd hi'n dywyll bitsh a'r brogaod wedi tawelu. Cododd i eistedd. Sŵn gwichial pren. Miniogodd ei glyw yn y tywyllwch a lledodd ei lygaid duon. Trodd ei ben a gwrando. Sŵn symud. Tynnodd ei bengliniau at ei gorff a theimlo ym mhoced ei drowser am y gyllell. Roedd y sŵn yn uwch erbyn hyn, fel petai rhywun yn ennill hyder gyda phob cam.

Fe gafodd ei rybuddio. Pan gafodd yr allwedd, edrych yn dywyll arno wnaeth y dyn ac esbonio pa mor unig oedd y lle. Gwenodd arno'n grwca gan ddal yr allweddi fodfeddi uwchben cledr ei law a sôn am ladron yn dwyn pob peth o fewn cyrraedd a phan na fyddai dim ar ôl, fe ddygen nhw enaid y truan hefyd. Roedd yr wynebau hyn wedi llenwi ei freuddwydion ers wythnosau, ac weithiau, yn y gwyll, fe fyddai'n gweld miloedd o gyllyll yn crafu trwy'r awyr ag wynebau'n sbecian ymhob ffenestr. Surodd ei stumog a lledodd y chwys dros ei gefn. Cododd yn sigledig. Llyncodd ei boer yn sych cyn cerdded ar flaen ei draed at y ffenest agored. Gwyddai, ar ôl hen arfer, byddai chwe cham yn ddigon i gyrraedd y ffenest. Chwiliodd am y ffrâm â'i law, sefyll yno gan wasgu'i gefn yn erbyn y wal. Ceisiodd reoli sŵn ei anadlu a theimlodd yn benysgafn. Ymdrechodd i wneud ei gorff yn fach a thynhau ei gyhyrau. Yn sydyn, atseiniodd taran ar hyd brigau'r coed. Plyciodd ei gorff mewn ofn. Cododd awel o gwmpas y tŷ ac fe ddechreuodd y dail sibrwd yn uwch.

"Ha, ha, ha, ha, ha!"

Roedd ei galon yn boenus yn ei gnawd. Chwerthiniad. Efallai fod yna ddau ohonyn nhw. Gêm oedd hi, efallai. Sbort. Efallai nad oedden nhw'n perthyn i'r byd hwn hyd yn oed, ar ôl smocio dail, ac anadlu mwg.

"Ha, ha, ha, ha, ha, ha, ha, ha, ha!"

Gwasgodd ei fawd yn erbyn min y gyllell a theimlo â'r llaw arall am gornel y ffenest.

"Ha, ha, ha, ha, ha."

Goleuwyd yr ystafell â golau arian. Neidiodd, gan ollwng sgrech fach. Cliciodd y golau i ffwrdd wrth i'r mellt rowlio ar hyd y ddaear. Gwasgodd ei ddwylo dros ei geg. Roedd yn rhaid eu bod wedi ei glywed. Cododd blew ei freichiau a'i war a theimlai'r nerfau'n symud ar hyd ei goesau. Blasodd y trydan yn yr awyr cyn i'r nen siglo unwaith yn rhagor. Doedd dim sŵn. Mae'n rhaid eu bod yn dilyn cynllun, yn gwneud arwyddion ar ei gilydd trwy'r tywyllwch. Efallai mai trwy gefn y tŷ yr ymosoden nhw. Goleuodd y stafell unwaith eto. Taran fel sŵn rhwygo papur. Roedd hi'n amhosib cloi drysau'r tŷ. Pan ddaeth yno gyntaf, byddai'n gwthio hen wardrob yn erbyn y drws gyda'r nos ond bellach roedd ei gorff yn wan o fod eisiau bwyd. Gadawodd ei hun i wanhau, i fod yn beson clwyfedig. Dim byd ond prae. Cnawd meddal mewn bocs caled.

"Ha, ha, ha, ha, ha, ha."

Sŵn traed yn symud. Gallai eu dychmygu nhw'n barod. Llygaid gwynion yn lledu mewn rhyfeddod. Yn edrych ar ei gnawd coch a'i waed yn dripian ar lawr yn gynnes fel sudd mango. Pwll o waed yn tywyllu. Ddeuai neb ar draws ei gorff am ddiwrnodau.

Byddai'n rhaid iddo eu hwynebu. Byddai'n rhaid iddo wthio'i gyllell i'w perfedd. Byddai'n rhaid iddo wthio carn y gyllell hyd yr asgwrn a thorri pob cymal. Chwyrnodd yr awyr a thangodd dannedd miniog y fellten.

"Ha, ha, ha,ha, ha."

Yna, daeth sŵn ochneidio a sibrwd. Roedd y dail yn crynu yn y gwynt. Byddai'n rhaid iddo aros. Aros am y golau. Aros am y golau ac ymosod. Aros am y golau. Meddalodd ei bengliniau yn barod i neidio.

"Ha, ha, ha, ha."

Roedd ofn wedi gwenwyno ei waed, a'i law bellach yn awchus. Awchus i neidio drwy'r ffenest a lladd cyn iddo ef gael ei ladd. I deimlo esgyrn ar flaen y gyllell, i wthio mor ddwfn nes byddai'i ddwrn yn treiddio. Byddai'n rhaid iddo eu dal yn ddiarwybod. Lladd un a gadael i'w gorff lithro i'r llawr cyn hela'r llall. Gwaed yn ludiog ar ei fysedd. Byddai'n rhaid iddo gyfri. Cyfri rhwng y mellt a'r taranau. Byddai'n rhaid iddo ddibynnu ar y golau. Aros am y golau.

Dychwelodd y sibrwd. Yn uwch y tro yma. Arhosodd, ei gorff wedi tynnu fel bwa. Traed yn cripio. Am y tro cyntaf ers misoedd, roedd ei feddwl yn wag. Roedd y gorffennol a'r dyfodol wedi diflannu. Gallai arogli gwaed. Lledodd ei ffroenau fel anifail. Mellt. Dechreuodd gyfri. Ei feddwl yn plygu dros y rhifau.

'Un, dau, tri. GOLAU!'

Cydiodd yn dynnach yn ochr y ffenest a meddwl lle byddai orau iddo lanio. Taranau. Sibrwd a chwerthin yn y tywyllwch unwaith eto.

'Un, dau, tri. GOLAU!'

Roedd hi'n ddydd am eiliad. Mellten. Roedd e'n barod, ei ysgwyddau'n dynn.

'Un, dau...'

Neidiodd allan drwy'r ffenest a glanio'n drwm yr ochr arall. Sgrechiodd o waelod ei enaid. Sgrechiodd hen sgrech nad oedd e hyd yn oed yn gwybod ei bod hi'n bodoli. GOLAU. Edrychodd o'i gwmpas – ei lygaid yn loyw yn y golau oer. Tywyllwch unwaith eto. Doedd neb yno. Trodd mewn cylch a sgrechian unwaith eto wrth i'r taranau chwerthin dros y tŷ. Gwasgodd ei gyllell yn y gwyll. Cydiodd yn yr awyr. Bwrodd y tywyllwch â'i ddyrnau nes bod ei ysgyfaint yn llosgi. Naddodd y nos gyda'i min a'i ddannedd gwynion yn amlwg yn nüwch y nos. Ymladdodd a thrywanodd. Gwaeddodd a sgrechodd nes bod pob dafn o nerth wedi diflannu o'i gorff. Arafodd. Safodd. Roedd yr ofn wedi ei flino, a'i gorff wedi ymlâdd. Heb fwyta a heb gysgu, doedd ei gorff yn ddim ond cysgod arall yn y tywyllwch. Anadlodd yn drwm, ei ysgyfaint yn llafurio. Edrychodd yn llonydd i mewn i'r tywyllwch ac aros am y diwedd. Arhosodd am y gyllell. Arhosodd. Syllodd. Crynodd.

Ond ddaeth hi ddim. Edrychodd o'i gwmpas. Ond ddaeth yna neb. Yna, ymhen hir o'r tywyllwch, clywodd lais bach plentynnaidd.

"Helô! Helô! Ha, ha, ha, ha."

Safodd a syllodd. Gallai glywed sŵn traed. Coed yn gwichian. Camodd ymlaen a chlywodd sŵn ei draed ei hun yn adleisio yn ôl.

"Helô?" holodd yn y gwyll.

"Helô?"atebodd hwnnw.

"Pwy sy 'na?"

"Ha! Ha!"

Holltwyd y tywyllwch gan fellten arall. Goleuwyd yr holl fyd. Edrychodd yr aderyn bach arno, a'i ben ar dro rhwng y bariau du.

"Helô, helô, helô, helô! Ha ha ha ha!"

Llifodd y trydan o'i gorff fel dŵr a llaciodd ei galon. Ymlaciodd ei ysgwyddau a gadawodd y gyllell i gwmpo. Gwrandawodd arni'n clincian yn y tywyllwch. Gwrandawodd ar yr aderyn bach am eiliad ac yna, fe ddechreuodd chwerthin. Chwarddodd a chwarddodd. Cododd chwerthiniad ynddo un ar ôl y llall nes eu bod yn byrlymu fel ewyn o'i wddf. Ac wrth i bob chwerthiniad fflachio allan i'r tywyllwch fe laciodd y cymylau eu gafael ar y nen gan ryddhau lleuad ddyfrllyd. Dechreuodd dafnau o law gwympo'n iachus ar ddwylo diolchgar y dail.

"Ha, ha, ha!"

Dechreuodd yr aderyn chwerthin. Roedd e wedi dysgu dros y blynyddoedd. Wrth wrando a dynwared. Gwrando a dynwared. Gwrando ar y byd o'i gwmpas a dynwared. Nes un noson, fe ddaeth o hyd i'w lais ei hun. Byddai'n amhosib iddo, a dweud y gwir, i adrodd stori wreiddiol, ond roedd wedi dysgu digon i chwerthin. Wedi ei hudo, camodd y dyn tuag at y caetsh bychan ac edrych ar y bariau hyll. Pengliniodd yn ei ymyl ac estyn i agor y gell.

Syllodd yr aderyn bach arno a gwichial wrth iddo agor y drws. Edrychodd i fyw llygaid y dyn trwy'r golau gwan cyn neidio i ochr y gaetsh. Safodd am eiliad, fel pe bai yn ceisio cofio sut roedd hedfan. Daeth pennau'r ddau'n agos wrth i'r aderyn ymestyn ei adenydd gwan. Teimlodd y dyn gynhesrwydd enaid byw arall wrth ei ymyl.

Wrth i gwmwl tywyll ailguddio'r lleuad, fe glywodd yr aderyn yn gadael. Teimlodd siffrwd plu ar ei wyneb wrth i'r aderyn agor ei gorff blinedig i'r glaw.

Safodd am amser hir, cyn mynd yn ôl i'r gegin fach. Cynnodd gannwyll a gwylio'r fflam yn tagu cyn ennill hyder. Ac wrth i'r glaw glebran ar y to tun, fe yfodd lond ei fol o ddŵr oer melys. Bwytodd y ffrwythau â'i ddwylo. Teimlodd yr awyr yn teneuo a'r gwres yn gollwng ei afael. Golchodd ei wyneb a'i rwbio'n sych. Teimlodd ei ffordd yn ôl at y matras bach a gorffwysodd. Wrth i'r cymylau ddiflannu, fe oleuodd yr ystafell a syrthiodd i gysgu gan wylio'r petalau gwyn ar y ddesg yn blodeuo yng ngolau'r wawr.

Cysgodd am oriau, a phob cwlwm yn ei gorff yn rhaflo'n araf. Slaciodd ei nerfau a sychodd ei groen. Pan ddihunodd, fe wyliodd olau glas y bore am ychydig gan arogli'r ddaear ar ôl y glaw. Cododd a gwnaeth goffi chwerw cyn mynd allan ar y feranda, fel y gwnâi bob bore. Pigodd ychydig o hadau, a oedd yn dal ar ôl yn ei boced, flaen ei fysedd. Roedd drws y gaetsh ar agor a theimlodd hiraeth wrth edrych ar y tŷ bach gwag. Symudodd yn agosach a denwyd ei lygaid gan rywbeth lliwgar. Rhoddodd ei goffi i lawr cyn pwyso dros y gaetsh. Ar ei gwaelod, ymysg y llwydni a'r baw, roedd plufen lachar. Cydiodd ynddi. Roedd hi o bob lliw, fel enfys, a'i hasgwrn cefn yn hyblyg ac yn gryf. Edrychodd o'i gwmpas. Roedd y dydd yn cynhesu, ond y gwres annioddefol wedi diflannu. Cofiodd am y gyllell ac aeth i gydio ynddi. Gan deimlo awel ysgafn ar ei wyneb, fe wasgodd y min i waelod y blufen i wneud pigyn. Gwrandawodd ar y chwerthin yn y coed o'i amgylch.

Trodd a cherdded yn ara at y ddesg gan dynnu blanced am ei ysgwyddau. Eisteddodd ac aildrefnu ei bapurau am ychydig cyn gwthio blaen y blufen i botyn o inc. Gwenodd a gwrando ar y canu yn y coed am ennyd, cyn crafu ychydig o liw ar un adain wen.

Stori wreiddiol, 2008

Ffordd

Dylan Iorwerth

AR DDAMWAIN, BRON, y dechreuodd y peth. Nid trio mynd i rywle yr oedd o, ond trio dianc o rywle arall.

Pan aeth pethau o chwith, ac yntau'n clepian y drws y tu ôl iddo, yr ymateb difeddwl oedd mynd am y car a theimlo'r gwahanol ddarnau o offer yn gyfarwydd o dan ei ddwylo. Dyna'r peth naturiol i ddyn ar ddechrau'r unfed ganrif ar hugain. Llithrodd ei gorff i mewn i'r siâp cartrefol yn y sedd ac aeth ei fysedd i'w hystum greddfol wrth wasgu am y llyw.

Yn y car, roedd ganddo fo rywfaint o reolaeth unwaith eto. Fo oedd yn penderfynu lle i fynd, er mai ar fympwy, neu trwy rym arferiad, y trodd i'r chwith ar waelod y stryd a gyrru rhwng y rhesi unffurf o dai i gyfeiriad y drafffordd. Roedd yr holl berchnogion wedi gwneud eu gorau i drio cael rhywbeth gwahanol – portico fan hyn a gatiau ffansi fan draw – ond doedd y mân amrywiadau'n gwneud dim ond pwysleisio'u tebygrwydd sylfaenol.

Wrth roi'r arwydd i droi ar y rowndabowt cynta, feddyliodd o ddim ar y pryd mai dyna fyddai'r tro ola iddo weld y clwstwr siopau llwydaidd a'r blwch ffonio diwerth, a'i ddrws wedi hen fynd a'r offer yn hongian oddi ar y wal bella yn segur a di-alwad. Prin y gwelodd o nhw o gwbl, a'i feddwl yn dal yn llawn o wyneb Glenda, yn gymysgedd o her ac ofn, wrth iddi gadarnhau'r hyn yr oedd o'n ei wybod ers wythnosau. Doedd o ddim yn crio; cymysgedd o ddicter a siom oedd yn cymylu'i lygaid.

Mynd oedd y bwriad. Heb anelu am unman penodol. Dim ond mynd. Cario 'mlaen i yrru nes bod y ffordd yn dod i ben. Ond, wrth gwrs, fyddai hi ddim. Nid ffyrdd i gyrraedd rhywle oedd y lonydd newydd, dim ond system ddiddiwedd i gadw pawb i symud. Ac felly y sylweddolodd yn sydyn ei fod o ar y ffordd gylch ar gyrion y dre a'i fod yn pasio'r un arwyddion am yr ail neu'r trydydd tro.

Mi wnaeth benderfyniad ymwybodol. Mi gymerodd y tro nesa oddi arni, dringo at rowndabowt arall a llithro i'r gilffordd am y draffordd ei hun. Roedd o'n teimlo'n well o wneud. Roedd yna rywbeth cysurlon yn llif y ceir o'i gwmpas, rhyw fath o lonyddwch yn y gwibio. Mi fyddai'n aml yn meddwl am yr holl bobl ddiwyneb y tu mewn i'w cerbydau. Roedd hi'n anodd dychmygu fod ganddyn nhw fodolaeth arall y tu allan i'w ceir a bywydau llawn helyntion neu hapusrwydd yn dirwyn y tu ôl iddyn nhw i gyd wrth iddyn nhw yrru, fel edafedd neu fwg egsost.

Mi allai fod wedi mynd am oriau. Dim ond cryndod y nodwydd betrol uwchben yr E goch a wnaeth iddo fo dorri ar y llesmair a phenderfynu unwaith eto. Corn yn canu'n ffyrnig wrth iddo droi ar y funud ola oddi ar y draffordd i mewn i'r gwasanaethau a dilyn y tryblith arwyddion am yr orsaf betrol. Yn sydyn y newidiodd ei feddwl a throi'n siarpach fyth i'r maes parcio a gweld poeriad o law ar y ffenest flaen wrth iddo godi'r brêc a throi'r allwedd tuag ato.

Mi fuodd yn eistedd yno am ychydig, yn gwylio'r bobl yn mynd a dod... trafaelwyr yn gwisgo'u siacedi'n ofalus tros grysau gwyn wrth gamu o'u ceir cwmni, ac ambell blentyn yn cael ei lusgo'n anfoddog wrth rwbio'r cwsg o'i lygaid. A'r cyfan yn digwydd heb sŵn ond murmur y traffig ar y draffordd y tu hwnt i'r llwyni coed, fel gwylio teledu a'r sain wedi'i ddiffodd.

Cyn hir, roedd y distawrwydd yn llethol a, heb feddwl bron, mi gychwynnodd tuag at yr adeilad hir, isel y tu hwnt i'r ceir a theimlo'r gwres yn ei daro fel dwrn wrth i'r drysau agor yn ddigymell. Doedd o ddim eisio paned, ond mi gafodd un beth bynnag ac eistedd uwch ei phen heb ei chyffwrdd. Gogoniant caffi mewn canolfan wasanaethau ar draffordd oedd fod cynifer o bobl yno. Roedd y drysau otomatig yn agor a chau fel ceg pysgodyn a miloedd ar filoedd bob awr yn cael eu llyncu a'u poeri allan. Mi fedrwch fod yn unig mewn tyrfa fawr, mi fedrwch ddiflannu hefyd heb i neb eich gweld chi. Neb ond hi.

Dim ond yn raddol y daeth i sylweddoli fod rhywun yn syllu arno. O ben pella'r caffi, a hanner dwsin o fyrddau fel cerrig llamu rhyngddyn nhw. Doedd yna ddim mynegiant yn ei hwyneb, ond roedd hi bron yn rhythu arno fo, fel petai'n trio treiddio i mewn i'w feddwl. Ac wedyn, roedd hi wedi mynd.

Nid penderfynu peidio â mynd adre wnaeth o, dim ond peidio â phenderfynu mynd. Erbyn hynny, roedd o wedi cyrraedd gwasanaethau eraill ar draffordd arall ac yn gwylio paned arall yn oeri. Yn wahanol i'r rhai ger ei gartre, doedd y gwasanaethau mwya ddim yn cau o gwbl. Dyma'r tro cynta iddo sylweddoli hynny. Hyd yn oed am dri y bore, roedd y goleuadau yno yn llachar a phobl yn dal i fynd a dod, yn edrych bron yn union fel yr oedden nhw am hanner dydd. Dim ond ichi ddewis sedd oedd â'i chefn at y ffenestri gwydr anferth, doedd dim angen ichi wybod pa amser o'r dydd oedd hi. Yn ddiweddarach, mi fyddai'n dechrau sylwi ar y mân arwyddion, fel llwythau crwydrol yn sylwi ar symud yr haul... y pentyrrau papurau newydd yn cyrraedd y siop, y gyrwyr lorïau yn crynhoi a'r swyddogion diogelwch yn newid shifft.

Mi gymerodd amser iddo fo arfer efo hynny. Yn ystod y nosweithiau cynta hynny, er ei fod mewn gwahanol wasanaethau bob tro, mi fyddai'n mynd i'r car i gysgu bob nos, gan groesi'r maes parcio, yn union fel petai'n dringo'r grisiau i fynd i'w wely. Mi fyddai'n codi wedyn, ben bore fel arfer, ac yn prynu un o'r pecynnau molchi yn y toiledau a rhoi slempan tros ei wyneb a siafio'n flêr, a'r rasel blastig yn plygu dan ei fysedd.

Aeth dyddiau heibio cyn iddo sylweddoli nad oedd angen cadw'r rwtîn. Gweld un o'r gyrwyr lorri wnaeth o, yn ymolchi ganol dydd, a sylweddoli nad dilyn clociau yr oedd y rheiny, ond amserlen eu tacograff. Mi ddechreuodd yrru yn y nos, weithiau, a phendwmpian yn ystod y dydd. Roedd mwy o beryg ichi gaei eich styrbio a'ch poeni wrth drio cysgu fin nos. Y cyfan oedd ei angen yn y dydd oedd ffeindio cornel gyfleus a bod yno am oriau a'r staff yn mynd heibio a diflastod yn llenwi'u llygaid. Cyn belled â'i fod o'n dal i edrych yn lân a gweddol drwsiadus, doedd neb i'w weld yn poeni.

Ar y draffordd ei hun, yr undonedd oedd yn braf. Y rhan fwya o'r amser, doedd dim angen symud gewyn; dim ond dal yn dynn yn y llyw a chadw'r droed dde yn gyson ar y sbardun. Roedd yr arwyddion wedyn yn gwneud pob penderfyniad trosto, chwith, de, ffordd hyn, ymlaen – doedd dim angen darllen geiriau hyd yn oed, dim ond dilyn iaith y symbolau.

Y gamp oedd cadw'n effro; sawl tro yn y dyddiau cynta, mi ddaeth yn agos at ddamwain, wrth fethu â sylweddoli'n ddigon buan fod y ceir o'i flaen yn arafu neu fod rhyw ben bach ar fin tynnu allan o'i flaen. Ond, cyn bo hir, mi setlodd i ffrâm o feddwl, fel gyrrwr lorri pellter hir, lle'r oedd ei ymennydd fel petai'n gallu cau popeth allan, ond symudiadau'r traffig ac arwyddion ffyrdd. Gweld pethau heb sylwi eu bod nhw yno.

Erbyn hynny, roedd tagfa'n bleser. Yr aros hir a'r cripian ara, fesul hyd car, a sylwi ar yr wynebau o'i gwmpas wrth i'r rhesi o boptu gyflymu neu arafu. Difynegiant oedden nhw, wedi dysgu'r amynedd maith sy'n dod o wybod nad oes dim byd fedrwch chi ei wneud i newid pethau. Mi fyddai'n trio dyfalu faint o bobl oedd yna yn sownd mewn tagfa y funud honno; efallai bod yna ragor, fel fo, yn byw ar y traffyrdd, yn gyrru'n ddiddiwedd hyd y rhwydwaith di-ben-draw.

Tua'r un pryd y daeth pres yn broblem. Wel, o leia, mi ddaeth yn broblem bosib. Er nad oedd yna ddim sicrwydd o gwbl y byddai Glenda'n trio chwilio amdano fo. Mae'n siŵr y byddai hi'n ddigon balch gweld ei gefn o, a chael y diawl arall draw i gymryd ei le. Ar y llaw arall, go brin y byddai hi'n falch o weld arian yn dal i fynd o'u cyfri nhw. Mi fyddai'r cwmni wedi bod yn holi amdano hefyd ac efallai eu bod nhw eisoes wedi rhoi'r gorau i dalu ei gyflog. Pe bai'r heddlu'n dod i mewn iddi, mater bach fyddai dilyn trywydd ei gerdyn debyd, o dwll yn y wal i dwll yn y wal, o wasanaethau i wasanaethau.

Tynnu llwyth o arian ar un tro oedd yr ateb cynta, fel bod y bylchau'n fwy rhwng pob defnydd. Roedd hi'n bosib mynd am bythefnos neu fwy ar y £300 yr oedd ei garden yn ei ganiatáu. Doedd dim ond eisio arian petrol a digon i brynu bwyd, fel arfer, rhyw frechdanau o siop neu frecwast-trwy'r-dydd mewn caffi. Gogoniant bwyd o'r fath oedd fod yr ychydig gegeidiau cynta'n llawn blas, ond wedyn roedd yn troi'n syrffed ac ynddo fo'i hun yn lleihau'r awydd i fwyta rhagor. O fewn ychydig, roedd un pryd yn ddigon, yn enwedig o fwyta crisps a phethau felly oedd yn rhoi'r argraff eu bod nhw'n eich llenwi.

Roedd hi'n sioc pan fethodd y garden â gweithio. Ond, o feddwl, roedd hynny'n bownd o ddigwydd. Mater syml i Glenda oedd trefnu'r peth, hyd yn oed heb fynd at yr heddlu. Dim ond dweud yn y banc fod y garden ar goll. Roedd yntau'n difaru rŵan na chadwodd o gyfri ar wahân. Mi driodd roi'r garden i mewn yn y peiriant deirgwaith, nes i hwnnw'i llyncu hi'n llwyr.

Doedd ganddo fo ddim syniad ymhle'r oedd o ar y pryd, ac yntau wedi hen roi'r gorau i edrych ar enwau llefydd. Chwilio am arwyddion y gwahanol wasanaethau fyddai o erbyn hynny, a dim ond enwau'r cwmnïau oedd ar y rheiny, neu enw lleol diystyr. Enw cae neu goedwig oedd yno flynyddoedd ynghynt, yn cyfleu rhyw freuddwyd wledig oedd wedi hen ddiflannu dan y concrid a'r tarmac du. Doedd dim pwynt edrych ar rifau ceir chwaith i drio cael cliw o'r llythrennau; roedd y dyddiau pan oedd rhifau'n dweud o ble'r oedd car yn dod wedi hen fynd. Cymdeithas, hollol ddi-le oedd cymdeithas y draffordd, a'r amrywiaeth rhifau'n ormod i allu dechrau adnabod patrymau.

Ambell dro, mi fyddai'n clywed rhywun yn siarad Cymraeg, efo plentyn neu ar ffôn poced, ond dim ond teithwyr oedden nhwthau. Yr un penderfyniad amlwg wnaeth o oedd cadw'n glir o Gymru, rhag ofn cael ei nabod ac am nad oedd y traffyrdd o unrhyw iws, am fod pen draw iddyn nhw.

Panic oedd ei ymateb cynta pan ddiflannodd y garden. Gwasgu'r botymau'n wyllt a direswm. Wedyn ofn. Roedd yna ansicrwydd unwaith eto. A dyna pryd y gwelodd o hi eto.

Ddwywaith neu dair yn ystod y cyfnod cynt, roedd wedi hanner dychmygu ei gweld yn ymrithio yn y pellter ynghanol llif o bobl, fel deilen ar wyneb dŵr gwyllt, yn dod i'r wyneb am funud cyn cael ei llyncu'n ôl dan y llif. Y tro yma, doedd yna ddim amheuaeth mai hi oedd hi; roedd yr un olwg daer yn ei llygaid ac roedd hi'n edrych yn syth ato fo unwaith eto tros ymyl y silff yn y siop. Y tro yma, doedd dim modd peidio siarad.

Fo ddywedodd ei stori, heb sbario dim – y cwbwl lot, y llanast, y twyll a phopeth. Dim ond wedyn, pan oedd hi'n rhy hwyr, y sylweddolodd o na chafodd wybod dim o'i hanes hi, dim byd ond ei phresennol. Doedd ganddi ddim car; bodio o le i le yr oedd hi, bachu mewn gyrwyr lorri neu drafaelwyr unig a'u plagio i gael pàs. Mynd i ble bynnag yr oedden nhw'n mynd a chael ei gollwng yn y gwasanaethau agosa. Mi fyddai rhai'n prynu bwyd iddi hi, yn hanner meddwl efallai fod siawns am ryw sydyn, difeddwl mewn lle aros yn rhywle, ond mi fyddai hi'n dianc bob tro cyn i'r awydd droi'n fygythiad. Dim ond unwaith neu ddwy, meddai, y teimlodd hi unrhyw beryg; roedd hi'n dewis yn ofalus.

Hi ddysgodd iddo fo sut i fyw go iawn ar y draffordd. Byw heb ddangos dim o'ch ôl. Mater hawdd oedd ffeindio'r drysau cefn lle'r oedd staff y caffis a'r siop yn gadael y bwyd oedd heb ei fwyta neu wedi pasio ei ddyddiad gwerthu a heb gael ei drosglwyddo ar y slei i'r farchnad ddu er mwyn ei ailbacio a'i ailstampio. Roedd llawer o'r bwyd mewn cyflwr perffaith a fyddai neb yn sylwi fod ychydig fariau siocled wedi mynd, neu focs bach o frechdanau.

Roedd arian yr un mor hawdd. Mi synnodd o wrth

sylweddoli cymaint oedd i'w gael ar lorïau. Ceiniogau a darnau arian wedi cwympo a rowlio'n rhy bell i neb drafferthu mynd ar eu holau, ambell bapur pumpunt neu ddeg wedi llithro o boced neu bwrs wrth i'r perchennog chwilio'n llawn ffrwst am allweddi neu garden gredyd. Heb sôn am y ffortiwn oedd i'w chael wrth wylio'r peiriannau pres. Sawl tro bob dydd, mi fyddai rhywun yn gwthio'r garden i mewn, yn pwnio'r botymau, yn cymryd y garden yn ôl a cherdded i ffwrdd yn ddifeddwl cyn i'r arian ymddangos. Fel petai'r dechnoleg yn creu syrthni.

Hi ddysgodd iddo fo sut i sefyllian wrth ymyl y peiriannau, gan esgus gwneud rhywbeth arall, a chadw cil llygad trwy'r amser ar yr hyn oedd yn digwydd yn y twll yn y wal. Pan fyddai rhywun yn anghofio mynd â'r arian, roedd angen symud yn gyflym, cyn i neb arall sylwi neu i'r collwyr sylweddoli. Bob tro, bron, mi fyddai'r rheiny'n dod yn ôl i chwilio, gan edrych hyd y llawr o gwmpas y peiriant a byseddu'r agen. Ond mynd fydden nhw wedyn, rhag tynnu sylw at eu twpdra. Hi ddysgodd iddo fo hefyd sut i osgoi'r camerâu diogelwch. Yn ei ddiniweidrwydd, doedd o ddim wedi meddwl am y rheiny o'r blaen, er eu bod nhw ymhobman, wrth ddrysau, mewn corneli siopau a fesul milltir neu ddwy ar hyd y traffyrdd eu hunain. Mi fydden nhw wedi gweld ei gar gannoedd o weithiau erbyn hynny; petai rhywun yn dechrau chwilio, mi fedren nhw ddilyn ei drywydd yn ôl ac ymlaen, ar draws ac ar hyd. Trwy lwc, roedd yna gymaint ohonyn nhw, mi fyddai'n cymryd miloedd o bobl i wylio am filoedd o oriau i edrych arnyn nhw i gyd. Eu nifer oedd eu gwendid.

Dyna pam fod camera diogelwch yn enw da, meddai hithau. Dim ond iddyn nhw beidio â chael eu dal yn gwneud dim o'i le, roedd y camerâu'n cynnig sicrwydd perffaith. Oherwydd bod y camerâu yno, doedd staff y gwasanaethau ddim yn cadw llygad nac yn sylwi ar ddim. Yn y dyddiau hynny, doedd systemau ddim wedi eu datblygu ddigon i allu adnabod rhifau ceir yn otomatig a'u hidlo trwy gyfrifiaduron. Roedd hi'n bosib i bobl fel nhw lithro trwy'r bylchau a bod yn saff nad oedd gan neb yr amser na'r arian i chwilio amdanyn nhw.

Ar y dechrau, roedd hi'n anodd dygymod â chael rhywun arall yn y car. Hyd yn oed heb edrych arni, roedd gwybod ei bod yno yn y sedd flaen yn llenwi'r cerbyd, fel petai ei phresenoldeb yn ei bwtio yn ei fraich a rhoi penelin yn ei asennau. Ond buan y daeth yn gyfarwydd â'r peth. Roedd hi'n gwmni hawdd. Gan eu bod nhw mor debyg. Doedd hithau'n siarad fawr ddim. Dim ond rhybuddio weithiau fod car heddlu yn ymyl neu awgrymu weithiau fod eisio troi am draffordd arall. Er nad oedd hi, fwy nag yntau, yn gwybod lle'r oedden nhw nac yn sylwi ar enwau llefydd, roedd fel petai ganddi fap o'r rhwydwaith traffyrdd yn nwfn ei meddwl a hithau'n gallu symud hyd-ddo heb orfod ystyried dim.

Doedd hi ddim wedi holi rhagor am ei hanes. Roedd hi'n ymddangos yn fodlon ar ei esboniad. O dipyn i beth, roedd yntau wedi rhoi'r gorau i feddwl am Glenda; roedd honno fel car yr oeddech chi newydd ei basio, fel petai'n gyrru am yn ôl yn y drych ochr, nes diflannu ynghanol y ceir eraill. Am ychydig, roeddech chi'n dal i allu'i weld, wedyn yn cael dim ond cip bob hyn a hyn, ac wedyn yn ei golli'n llwyr.

Weithiau, mewn gwasanaethau, mi fyddai hi'n amneidio ar bobl, fel petai hi'n eu nabod, ac roedd hynny'n ei wneud yn nerfus. Mi ddechreuodd feddwl ei bod hi ar fin ei fradychu. Yn y diwedd, doedd dim dewis ond gofyn yn blwmp ac yn blaen. Chwerthin wnaeth hi a'i gyffwrdd am eiliad ar ei foch, eu cyffyrddiad cynta. Rhai eraill oedden nhw, meddai'n ddidaro, rhai eraill fel nhw oedd yn byw ar y rhwydwaith traffyrdd. Roedd yna fwy a mwy ohonyn nhw, meddai wedyn ymhen ychydig funudau, yn dianc heb orfod mynd i unman yn benodol. Roedd hi wedi sylwi ar fwy a mwy o'r un wynebau yn ymddangos o le i le a hithau, wedi'r holl amser, yn gallu synhwyro'n syth os oedden nhwthau ar grwydr. Mi fyddai yna fwy eto, meddai, cannoedd, efallai miloedd, yn creu eu cymuned ddiamser eu hunain.

Ychydig ddyddiau neu nosweithiau'n ddiweddarach y cyffyrddon nhw wedyn. Nos oedd hi, mae'n rhaid, achos roedd hi'n dywyll wrth iddyn nhw droi i mewn i'r gwasanaethau a gosod y car yn un o gorneli'r maes parcio, yn yr ychydig gysgod oedd yna ynghanol y môr o olau. Fel rheol, roedd hi'n amhosib dweud sut fath o noson oedd hi, ond y tro yma, roedd yna wynt anniddig wedi codi a, chyn iddyn nhw gael cyfle i adael y car, roedd hi wedi dechrau arllwys y glaw, cenlli ohono fo'n creu haen o ddŵr tros y ffenest flaen a tharo'n rhythm dirythm ar fetel y to.

Mi gafodd syndod – sioc hyd yn oed – pan symudodd hi draw yn sydyn, rhoi ei phwysau arno a'i braich yn dynn am ei wddw. Ar ôl cymaint o amser heb gyffwrdd yn iawn yn neb, roedd o'n teimlo arswyd ar y dechrau, atgasedd bron, wrth iddi wasgu ei hun yn fychan i siâp ei gorff. Ond efallai mai'r peth mwya dychrynllyd oedd teimlo'i hangen hi wrth iddi wasgu, hyd at frifo.

Mi aethon nhw i gysgu felly, rhyw hanner cysgu i ddechrau ac wedyn cwsg dwfn, wrth i hyrddiau'r glaw arafu a dod i ben. Pan ddeffrodd yntau, roedd o'n amau ei bod hi'n dechrau gwawrio y tu hwnt i oleuadau'r maes parcio, ond roedd hi'n anodd dweud. Roedd hithau wedi symud erbyn hynny a dim ond atgof ei chorff yn ei gesail. Mi drodd i edrych arni a gweld ei bod wedi mynd o'r car hefyd. Mi roddodd ei law ar y sedd a'i theimlo hi'n oer dan ei ddwylo.

Doedd hi ddim yn y gwasanaethau chwaith, er iddo fo aros yn hir, rhag ofn, a hyd yn oed loetran y tu allan i doiledau'r merched rhag ofn ei bod hi'n sâl. Fentrai o ddim gofyn i neb, rhag ofn tynnu sylw.

Mae'n anodd dweud beth oedd wedi'i gynhyrfu. Y ffaith ei bod hi wedi mynd, neu eu bod nhw wedi dod mor agos am ychydig oriau. Ond roedd o'n gwybod o'r funud y taniodd yr injan a gwthio'r car yn betrus i mewn i ganol llif y draffordd fod rhywbeth wedi newid. Mi roedd o'n ymwybodol unwaith eto o'r ceir o'i gwmpas, eu sŵn a'u lliwiau.

Efallai mai dyna pam na wnaeth o sylwi ar gefn y rhesi ceir o'i flaen yn rhubanau coch a goleuadau rhybuddio'r lorri yn sydyn yn llenwi'r ffenest.

Darnau, Gwasg Gwynedd

Sul y Bresych

Siân Edwards

NEWYDD DDOD ALLAN O'R siop oedden ni, fore Sul. Wedi prynu'r *Times* a'r *Observer* a ffags am y dydd, ac yn paratoi i fynd adref am awr hamddenol neu ddwy o ddiogi cyn cinio. Yna, prynhawn bach o flaen y teledu dydd Sul cyffredin. Teimlo'n hamddenol a bodlon; wel na, a bod yn onest, ddim yn hollol fodlon chwaith. A bod yn hollol onest, roedd y diawl 'na wedi'n ypsetio ni, er ein bod ni'n gallu chwerthin am y peth nawr.

Wel, roedd y peth yn hollol ddireswm a dianghenraid. Doedd Luned ddim wedi gweld yr eglwys gadeiriol o'r blaen felly dyma benderfynu mynd â hi i weld y lle. Addas iawn ar fore Sul, dybiwn i. Dyma ni'n gyrru i'r pentref ac yn parcio'r car yn y sgwâr. Sefyll yno am dipyn, a chynnu sigarét, gan edrych i lawr ar yr eglwys yn y pant.

"Wyt ti am fynd i lawr i weld y lle?" meddwn i wrth Luned. "Dydy hi ddim yn rhyw eglwys bensaernïol arbennig iawn, ond mae'n ddigon diddorol."

"Iawn," medde hithe, a lawr â ni. Fe arhoson ni rhyw ddecllath o ddrws y cabidyldy. "Gwell i ni beidio â mynd i mewn yn smocio," meddwn i.

"Falle y byddai hi'n well i ni beidio â mynd i mewn o gwbl," meddai Luned, "ar fore Sul – fe fydd 'na bobl yno."

"Ie, hwyrach dy fod ti'n iawn." A dyna lle'r oedden ni'n

sefyll, yn ddigon diniwed, yn syllu lan ar dŵr yr eglwys pan ddaeth dyn bach crwn, boliog, mewn dillad du, a sbectol fain ar ei drwyn coch, i lawr y llwybr o'r pentre. Wir, welais i ddim ohono nes iddo bron â hyrddio i mewn i mi ar ei hynt hunanbwysig; mi symudais o'i ffordd gan fwmlan ymddiheuro, ond heb gymryd sylw pellach ohono.

Ond roedd y corrach wedi aros.

"Rhowch y sigaréts 'na allan ar unwaith. Beth sydd arnoch chi, dwedwch? Rydych chi ar dir cysegredig. Oes gennych chi ddim parch i ddim byd?"

Dechreuais ferwi ar unwaith, ond taflodd Luned ei sigarét i ffwrdd yn ufudd. Wel, gan feddwl hwyrach ein bod ni wedi cythruddo'r dyn bach yn wirioneddol, fe wnes innau'r un fath. Fe euthum gam ymhellach, hyd yn oed, gan deimlo'n rhinweddol dros ben nad oeddwn i wedi colli 'nhymer wedi'r cwbl.

"Mae'n ddrwg gen i... doeddwn i ddim yn golygu..."

Chefais i ddim dweud gair ymhellach. Roedd y bolleth wedi dechrau cerdded i ffwrdd, ond trodd i edrych yn ddirmygus arnon ni wrth i mi ddechrau siarad.

"Mae'r olwg fwya ffiaidd arnoch chi'ch dwy, beth bynnag," meddai, a diflastod yn byrlymu drwy ei lais. "Rwy'n synnu nad oes arnoch chi gywilydd mynd allan o gwbl yn edrych fel yna." Trodd ar ei sawdl, a morio ymlaen i mewn i'w eglwys gan ein gadael ni'n fud.

Wrth ddringo'n ôl lan y llwybr roeddwn i'n teimlo'n ynfyd o gas ond, am ryw reswm, fedrai mo Luned na mi ddweud gair wrth ein gilydd, na hyd yn oed edrych ar ein gilydd o ran hynny. Teimlo'n fwy ynfyd fyth fod y ffwlbart wedi cael y fath effaith arnon ni – wedi llwyddo i'n gwneud ni i deimlo'n fach pan na ddylen ni fod wedi gwneud dim byd mwy na chwerthin am ei ben... ac achosi iddo gael ffit, hwyrach. Teimlo'n well wrth feddwl am yr esgob bach yn rholio ar ei gefn yn glafoerio.

"Wel, 'na un boi sy wedi colli cwsmeriaid y bore 'ma!" chwarddodd Luned.

"Ie, dim rhyfedd fod yr eglwysi'n wag os mai dyna'r croeso mae dyn yn ei gael bob tro mae e'n mynd yn agos i eglwys! Dyna i ti Gristion – fe fydde hwnna'n dy adael di i farw o newyn yn y fynwent, pe na bai dy ddillad di'n taro, a thithau wedi dod i edrych am noddfa!"

"Ffiaidd, wir! Roedd y denims 'ma'n lân y bore 'ma..."

Erbyn hyn roedden ni tu allan i'r siop, a mewn â ni i brynu'r hyn sy'n angenrheidiol at y Sul. Ond roeddwn i'n dal i rwdlan wrthyf fy hun, yn meddwl nawr am yr holl bethau clyfar y gallwn fod wedi eu dweud yn ôl wrth y boi... Beth bynnag, fel roeddwn i'n dweud, roedden ni newydd ddod allan o'r siop, ac yn dringo i mewn i'r car i'w throi hi adre pan ddaeth hen, hen greadures, yn llusgo basged-drol y tu ôl iddi, draw at y car gan amneidio arnon ni i agor y drws. Roeddwn i ar fin awgrymu wrth Luned y dylsen ni gynnig lifft iddi pan agorodd hithau'r drws. Meddai'r hen wreigan mewn llais crachaidd, Seisnigaidd, craclyd, "Ry'ch chi'n edrych yn ferched bach neis... rwy'n hen, ac yn ei chael hi'n drafferthus i gerdded ymhell... tybed a fyddech chi cystal â mynd a fi adre?"

"Wrth gwrs, wrth gwrs," meddwn i, yn syfrdan braidd ond, yn teimlo biti drosti a wel, beth petawn i'r oedran 'na'n wargrwm, a choesau chwyddedig ofnadwy... a beth bynnag, byddai'r diawl esgob bach anwar 'na wedi'i throi hi i ffwrdd am bod golwg mor ffiaidd arni.

Llwyddodd i eistedd yng nghefn y car yn reit handi, ond mater arall oedd trosglwyddo'r coesau blonegog o'r palmant i lawr y car; roedd y fasged yn gymhlethdod ychwanegol.

Ond, o'r diwedd, roedd popeth wedi'i bacio i mewn ac i ffwrdd â ni. Na, doedd hi ddim yn byw ymhell... fwy neu lai ar waelod yr heol ond tybed a fydden ni'n fodlon mynd y ffordd arall, drwy'r pentref, er mwyn i ni alw yn y Llew Coch, lle'r oedd ganddi un neges arall i'w chasglu?

Bu'n rhaid ailadrodd y broses boenus o drosglwyddo'r coesau o un bydysawd i'r llall ond, o'r diwedd, herciodd yr hen fenyw i mewn i'r Llew. Luned a finnau'n chwerthin – chwarae teg i'r hen dderyn! Luned a finnau'n chwerthin llai ar ôl dwy ffag ac ugain munud o eistedd amyneddgar yn y car, ar ddwy linell felen.

"Cer i mewn i edrych amdani Luned."

Daeth Luned allan a'r hen wraig yn pwyso'n drwm ar ei braich efo un llaw, ac yn dal ei gafael yn dynn ar botel o sieri gyda'r llaw arall.

"Hen ddiawl," meddai Luned, dan ei hanadl, wrth i'r broses boenus o groesi'r bont o'r palmant i'r car gychwyn unwaith eto, "crwydro o gwmpas yn gofyn i bawb i brynu diod iddi – a phawb yn gwneud hynny'n hapus, wrth gwrs. Dyn a ŵyr faint gafodd hi cyn i mi gyrraedd i ddifetha'r parti!" Ochenaid ddofn o'r sedd gefn i arwyddo fod y broses drosodd. Caeodd Luned y drws arni, neidio i mewn i'r sedd flaen a llamodd y car ymlaen, i gyfeiriad tŷ Meg y tro hwn.

"Ie, Anti Meg ydw i i bawb yn Llangwm, pawb sy wedi byw yma am dipyn – nabod y rhan fwyaf ohonyn nhw oddi ar oedden nhw'n blant bach. Ie, dyna'r tŷ, yr un mawr ar y cornel, er mai dim ond y fflat uchaf sy gyda ni nawr. Rwy'n cofio'r adeg pan oedd y tri llawr yn llawn dop, rhwng y tylwyth a'r morynion. Amhosib cael morynion nawr wrth gwrs, hyd yn oed pe bai gyda ni ddigon o arian i gadw un. Fyddwn i ddim yn hapus i adael unrhyw un i mewn i'r tŷ 'cw, wrth reswm – gormod o stwff gwerthfawr yno, digon i demtio unrhyw forwyn ddieithr, yn enwedig pe na bai hi wedi arfer â phethau felly."

"Ble nawr...?" ceisiais dorri ar draws y ffrydlif.

"O, rownd i'r rownabout, ac yna i'r dde, cyn gynted fyth ag y medrwch chi. Dyna'r fflat lan fan acw... bu'n rhaid i ni osod y ddau lawr isaf i'r ffyrm ddiawledig 'na, a dyna ffenest 'u siop nhw. Rhan o'r teulu, wrth gwrs, ond cangen israddol iawn mae arna i ofn; roedden ni wedi colli pob cysylltiad â nhw nes iddyn nhw ddod yma un diwrnod a cheisio troi Morys a minnau allan! Wel, bron iawn allan... welwch chi lle 'dan ni'n byw nawr?"

Roeddwn i wedi llwyddo i dorri ar draws y ffrwd gyson o geir yn dod o'r cyfeiriad arall, ac wedi arafu ar fuarth bach wrth ymyl y siop. Edrychais lan at ble'r oedd Meg yn cyfeirio – dwy esgynfa o risiau pren, sigledig, heb ganllaw hyd yn oed i'r rhai isaf; ar ben y grisiau, adeilad tebyg i dŷ gwydr (ond fod cardbord a phapur newydd yn cymryd lle llawer o'r gwydr) wedi ei adeiladu ar dalcen uchaf y tŷ. Gwylltiais wrth feddwl am hen bobl yn byw mewn lle mor beryglus. Rhygnai'r llais yn ei flaen.

"Ie, Prices Llangwm. Glywsoch chi sôn amdanyn nhw?"

"Do, do." Naddo, erioed.

"Wel, rwy i yn un ohonyn nhw."

"Na!" (Wel, tawn i'n marw... choelia i byth... neu pa bynnag ebychiad celwyddog arall a ddaeth i'm meddwl ar y pryd.)

"Ydw, ydw. Price oedd fy nhad, a Price oeddwn innau nes i mi briodi Morys druan. Priodi'n is na mi fy hun, fel y deallwch chi... dim ond capten yn y fyddin oedd e ar y pryd. Ond fe gedwais enw'r teulu hyd yn oed wedyn, Mrs Morys Price-Jones."

"Wel, wel. Diddorol dros ben. Ond beth bynnag, Mrs y- y... Meg, dyma chi adre'n ddiogel. Dewch i mi gael rhoi help llaw i chi i fyny'r grisiau."

"Ond mae'n rhaid i chi'ch dwy ddod lan, wrth gwrs, wedi i chi fod mor garedig wrth hen greadur fel fi. Fe gewch chi weld y fflat – dydy e ddim llawer o beth, fel y dwedais i, ond mae'n ddigon cartrefol – ac fe fydd Morys yn falch o'ch gweld chi. Mae e'n sâl iawn, welwch chi, bron yn ddall, a heb allu gadael ei wely bellach. Tybed a allech chi fynd â'r fasged i fyny?" Cymerodd Luned y fasged yn ufudd; doedd gyda fi ddim dewis chwaith. Yn araf, araf, araf esgynodd y llysywen afrosgo o dri chorff cyd-gyplysedig a basged-olwynion, o'r ddaear i'r nen.

* * *

Roedd y lle'n drewi o fresych. Stafell fach ddigon cysurus, ddigon clyd, unwaith i ni fynd drwy'r tŷ gwydr o gyntedd drafftiog ar ben y grisiau – ond oglau bresych drwy'r lle i gyd. Annifyr iawn.

"Dyma chi, ferched bach."

Tra bûm i'n edrych o gwmpas, roedd Meg wedi bod yn brysur gyda'r botel sieri. Tri gwydraid o sieri tywyll, melys, atgas, ond rhaid oedd ei yfed, gyda gwên ac aml i "iechyd da". Roedd Meg wedi sylwi arna i'n edrych o gwmpas.

"Roedd y tŷ 'ma'n llawn o bethau hyfryd unwaith ond wrth gwrs, daeth tro ar fyd ac fe fu raid i ni werthu'r rhan fwyaf ohonyn nhw... ond fe lwyddais i gadw rhai pethau. Drychwch!" Ymlwybrodd at y mur gyferbyn â'r drws y daethon ni i mewn drwyddo, a oedd ynghudd o dan orchudd blodeuog, trwchus. Yn y gwagle y tu ôl i hwnnw, roedd nifer o silffoedd pren ac arnyn nhw gasgliad go lew o lestri arian a phiwtar, a nifer o ddarluniau mewn fframiau arian solet.

"Dyma fi yn ddeunaw oed – toeddwn i'n hyfryd?"

Syllais ar y darlun o ferch ifanc, osgeiddig, dywyll ei llygaid a'i gwallt – ni pherthynai i'r un byd â'r hen wrach a ddaliai'r darlun yn ei phalfau garw, chwyddedig, gan barablu'n ddiderfyn. Dwn i ddim, ond bron bob tro y bydd hen bobl yn mynnu dangos i mi luniau o'u plentyndod a'u llencyndod, mi fydd iasau o ddiflastod yn carlamu i fyny ac i lawr fy nghefn, ac mi fydda i'n teimlo'n reit od. Ddealla i fyth sut y gallan nhw ddioddef edrych arnyn nhw eu hunain fel roedden nhw ym mlodau eu hieuenctid. Does bosib eu bod nhw'n cael unrhyw fath o bleser wrth gofio, pan fo'r cof yn rhwym o ddod â'r fath gymhariaeth ofnadwy gydag ef. Ond doedd hyn yn mennu'r un gronyn ar Meg, a oedd yn dal i glochdar dros y ferch hardd yn y ffrâm. Hwyrach na newidiodd y ferch hardd erioed iddi hi.

Er mwyn cuddio f'anesmwythyd, dechreuais rwbio ffrâm darlun arall a safai ar y bwrdd, gan lwyddo i drosglwyddo llwyth o faw du oddi ar y ffrâm i'm bys bawd, a gadael llwybr bach disglair yng nghanol y llwydni.

"Ydyn, maen nhw'n ffiaidd," meddai Meg, "ond fedra i ddim eu glanhau nhw bellach. Mae'n ormod o dasg i mi nawr – nid 'mod i wedi arfer â'r fath waith erioed, cofiwch chi…" Rhwbiais innau dipyn mwy ar y ffrâm.

"Ydy, mae'n biti."

"Hoffech chi ddim dod draw yma un noson i'w glanhau i mi, debyg iawn?" Parodd y nodyn cwynfanllyd, ymgreingar yn llais Meg i mi wrido; chwarddais yn anghysurus, ar fin cytuno, o lwfrdra pur, pan dorrodd Luned ar fy nhraws.

"Na wir, Meg, mae'n amhosibl iddi: wedi'r cwbl, mae hi'n

dysgu mewn ysgol sydd bron ddeng milltir ar hugain allan o Langwm ac erbyn iddi gyrraedd adref yn y nos, a chael bwyd, a marcio llyfrau ac ati, mae'n amser iddi fynd i'w gwely. Does ganddi ddim amser i ddim byd arall, unrhyw noson o'r wythnos." Edrychais yn syfrdan braidd, gan feddwl am y siop lle gweithiwn, heb fod nepell i ffwrdd o'r man lle safwn, ond roedd hi'n anodd dweud dim i ddilyn hynny.

"O," meddai Meg yn drist; yna, estynnodd am y botel sieri, gyda gwên. "Diod fach arall."

"Na, dim diolch," gyda'n gilydd, ond roedd y ffrwd grynedig eisoes yn disgyn o'r botel i'm gwydryn, gan dasgu dros y lliain bwrdd.

"Rhaid i chi ddod i ddweud helô wrth Morys. Fe fydd e'n falch iawn o'ch gweld chi... does fawr o neb yn galw heibio nawr." Cododd yn simsan braidd, ac ymlwybro allan o'r stafell.

"Pam ddwedest ti 'na?" Edrychodd Luned yn syn arnaf.

"Wel, rhag iddi hi ddechrau cymryd mantais arnat ti, wrth gwrs. Fe wyddost ti'n iawn pa mor wan a llwfr wyt ti gyda phobl. Cyn i ti gael cyfle i droi, mi fyddet ti'n glanhau'r tŷ, siopa bob dydd, coginio, mynd â Meg a Morys am dro yn y car, a dwn i ddim beth i gyd..."

"Ferched, ydych chi'n dod?" Edrychodd Luned yn amheus ar enau'r twnnel du y diflannodd Meg i lawr iddo.

"O, er mwyn popeth," meddwn i, yn fy llais hunangyfiawn-rhaid-i-ni-helpu'n-cyd-ddyn. "Mae'n hen, mae hi eisiau cwmni, rwy'n byw rownd y gornel oddi wrthi. Fyddai'n ddim trafferth i mi i alw heibio yma nawr ac yn y man... ond rwyt ti wedi gwneud hynny braidd yn anodd nawr."

"Ferched!"

"O, siwtia dy hun. Dim ond ceisio dy achub di oeddwn i, debyg iawn?"

Ymwthiodd Luned heibio i mi yn biwis, i mewn i'r tywyllwch, gan ddilyn llais Meg.

Tyfai'r arogl bresych yn gryfach, yn llethol gryf, wrth i ni deimlo'n ffordd ar hyd mynedfa fer, i fyny ddau ris, nes dod at ddrws lled-agored. Curais ar y drws gan deimlo braidd yn gyfoglyd.

"Dewch mewn, dewch mewn. Dyw e ddim ar ddihun eto ond dewch i mewn."

Safai'r oglau yn fur rhyngom â gweddill y stafell wely bron na allen ni weld yr arogldarth yn codi o'r gwely a doedd y tân trydan dau-far tanbaid ddim yn helpu llawer ar yr awyrgylch chwaith. Herciai Meg o gwmpas, yn codi pilyn fan hyn a fan draw a'u gollwng yn un swp ar draed y gwely, fel petai am roi'r argraff o dacluso'r stafell i ni yn hytrach na'i bod yn ymosod o ddifri ar y llanast o'n cwmpas. Yng nghanol y gwely dwbl llwydaidd, gorweddai pentwr mwy o ddillad a blancedi. Doedd hi ddim yn ymddangos fel petai Morys yn eiddgar iawn i ddweud helô wrth neb.

"Morys! Morys!" gwaeddodd Meg yn ffit i godi'r meirw. "Mae dwy ferch fach garedig iawn wedi galw i'n gweld ni. Dwyt ti ddim am ddweud helô?"

"Dim rhyfedd fod yr hen foi'n dost. Wnele hi ddim drwg agor ffenest yn y ffwrnes ddrewllyd 'ma." Roedd Luned yn hisian rhwng ei dannedd, nid yn unig rhag i Meg ei chlywed ond hefyd rhag gorfod anadlu'r un llond pen mwy o'r awyr ffiaidd nag oedd raid.

"Morys!" Roedd Meg yn gwynfanllyd yn awr, a chydiodd mewn llond dwrn o byjamas – ysgwydd, mae'n debyg – a siglo'i gŵr yn ffyrnig. "Dyw e wedi gwneud dim byd ond cysgu yr wythnos 'ma."

Yn sydyn, dechreuais deimlo'n anghysurus dros ben. Dyma ni, dwy ferch ddieithr, yn sefyll yng nghanol stafell wely hen ddyn sâl, blinedig; prin y gallai fod yn teimlo fel cwrdd â ni sut bynnag. A dyna lle'r oedd ei wraig yn ei ddwrdio, ac yntau mor wael. Am y canfed tro, rhyfeddais wrth ansensitifrwydd dynol ryw.

"Gadewch lonydd iddo, wir. Fe alwn ni rywdro eto, pan fydd e'n teimlo'n well. Mae'n biti tarfu arno nawr."

Ond roedd Meg yn benderfynol. Hergwd eto ac fe roliodd y bwndel drosodd, nes bod Morys yn ein wynebu. Croen llwyd a phantiau dyfnion ynddo; pob asgwrn wedi'i amlinellu mor glir â phetai'r gorchudd croen yn ddim byd ond bag plastig am benglog. Yng nghanol y blewiach llwyd ar hyd ei gernau, hongiai'r geg ar agor, a'r gwefusau wedi'u tynnu'n ôl yn dynn oddi ar y dannedd, dannedd gosod – sylwais, yn anymwybodol bron, ar y gwagle rhwng y dannedd isaf a'r cnawd wrth fôn y dannedd. Roedd y llygaid fwy neu lai ar gau, ond gallwn weld rhimyn o wyn o dan yr amrannau melyn. Fel pe bai'n sbio arnom yn slei. Pe bai rhywun yno i sbio arnon ni. Clywais Luned yn tagu wrth fy ochr, a theimlwn innau'r cyfog yn codi.

"Dario'r dyn! Morys, deffra, mae gen ti ymwelwyr... y tro cyntaf ers dwn i ddim faint."

"Er mwyn dyn, gadewch iddo fod." Roedd Luned eisoes yn baglu ei ffordd allan o'r stafell; roedd yr oglau bresych yn gryfach nag erioed.

"Hy, dim ond cysgu mae e wedi gwneud ers dyddiau nawr. Methu'i ddeffro fe i fynd ag e i'r tŷ bach hyd yn oed. Ac rwy'n gorfod cadw'r tân trydan 'na ynghynn drwy'r amser, er gwaetha'r biliau trydan, mae e mor oer o hyd.

A minne'n chwysu yn y gwely bob nos..." Methais innau
â dal yn hwy; rhuthrais allan ar ôl Luned, i'w chael hi'n
eistedd yn y gegin yn drachtio'n helaeth o'r sieri amheus.

"Mair, mae e wedi..." Cymerodd lwnc swnllyd arall.

"Mae'n edrych felly." Synnais i glywed fy llais fy hun, yn
ddiffwdan a chwbl synhwyrol.

"Ond, be wnawn ni...?"

"Bydd ddistaw!"

Daeth Meg allan o'r twnnel yn dal i dwtian a grwgnach,
ond goleuodd ei hwyneb wrth ein gweld ni'n mwynhau ein
diod. "Wel, mae'n ddrwg gen i 'i fod e mor ddiserch ond...
fe ddewch chi i'w weld e eto, yn gwnewch?"

"Gwnawn, wrth gwrs." Byth, gobeithio. "Ond mae'n
rhaid i ni fynd nawr, neu mi fyddwn ni'n hwyr i ginio."

"O na, pam na arhoswch chi am damaid yma? Dyw
Morys ddim yn bwyta dim ar y foment... fe fyddai hi'n
braf cael cwmni. Drychwch, mae gen i ddarn bach hyfryd
o gig oen, a digon o datws a bresych... pe gallech chi roi
help llaw i mi i bilo'r tatws."

Petrusodd yn obeithiol. Yn sydyn, roedd oglau bresych
yn llanw fy ffroenau. Oglau bresych, oglau Morys, cig oen,
cig oen marw i ginio, cinio i Morys, Morys i ginio... Roedd
y stafell yn chwyrlïo heibio... daliais fy ngafael yn greulon
ar fraich Luned a sadio digon i ddweud yn dawel,

"Na wir, diolch yn fawr i chi, ond fe fydd cinio'n
barod i ni gan Mam ers meityn. Gwell i ni beidio â bod
yn hwyr." Allan drwy'r drws ac i lawr y grisiau pren yn
bendramwnwgl, gan godi llaw ar Meg, a diolch am y sieri,
a chofio at Morys, ac addo dod eto, yr holl ffordd i lawr at
y car. Gyrru i ffwrdd yn canu'r corn a dal i godi llaw.

Taniodd Luned ddwy sigarét a rhoi un i mi. Tynnodd

y ddwy ohonon ni'n ddwfn arnyn nhw, nes teimlo'n calonnau'n dechrau arafu rhyw ychydig. Gollyngodd Luned ochenaid hir o ollyngdod. Tawelwch am ychydig; yna dechreuodd anesmwytho.

"Be wnawn ni?"

"Fe ffonia i'r doctor cyn gynted ag y cyrhaeddwn ni adre."

"Ond fe fydd trafferth ynglŷn â hyn... fe fydd rhaid i ni dystio yn y llys hwyrach... a gweld Meg..."

"Wna i ddim rhoi enw, dim ond gofyn iddo alw acw." Tawelwch eto. Ond allai Luned ddim gadael llonydd i'r mater.

"Lle mae'u plant nhw 'sgwn i, na fasen nhw'n gallu edrych ar 'u hôl nhw?"

"Oedd 'na blant, felly?"

"Wel oedd, am wn i... oedd, siŵr o fod. Ond beth bynnag, mae'n warthus fod hen bobl yn gorfod byw o dan y fath amgylchiadau truenus."

"Roedd y lle'n drewi."

"Oedd."

"A'r gegin yn ffiaidd. Welaist ti'r twmpath llestri 'na yn y sinc, a'r olwg oedd ar ben y ffwrn?"

"Do."

"Lle uffarn mae'r Wladwriaeth Les mewn achos fel hyn... y gweithwyr cymdeithasol... y blydi duwiolion, fel hwnna bore 'ma?"

Edrychais arni. Ni ddywedodd air arall ar hyd y ffordd adre. Roedd Mam yn y ffenest yn gwylio amdanon ni a gallen ni arogli'r cinio dydd Sul yn rhostio'n braf wrth i ni gerdded i fyny'r llwybr at y tŷ.

Y Map

Dylan Iorwerth

MAE'R PETH YN DDEFOD ers tro byd bellach. Mi fydda i'n mynd draw at ddrôr y dresal a thynnu'r map allan a'i osod o ar y bwrdd. Bob bora adag panad ddeg. Ac wedyn gadael i fy llygid grwydro drosto fo; yr un ffordd bob tro, o'r mynydd i lawr i'r pentra.

Fedra i ddim esbonio'r gyfaradd, pam fod 'na deimlad cynnas braf yn lledu trwy 'ngwythienna fi wrth ddilyn y llinella main oren neu neidio efo'r nentydd gleision i lawr y llethra, cyn oedi mymryn mewn rhyw gilfach glir. A'r caea hefyd, yn batrwm twt fel petaen nhw wedi bod felly erioed yn ffitio'n daclus i'w gilydd.

Ar ôl y ddamwain y dechreuis i, a'r hen benglinia 'ma wedi mynd yn rhy glonciog at ddefnydd go iawn, heblaw am ryw shyntio rhwng y parlwr a'r gegin. Finna wedi arfar bod wrth fy modd yn cerddad, nid i ryw fynyddoedd pell fel pobl ifanc, ond ar hyd yr hen lefydd cyfarwydd.

Hyd yn oed wedyn, er bod sawl blwyddyn wedi treiglo ers hynny, mi fyddwn i'n medru mynd yno eto, trwy gyfrwng y map. Y ffurfia a'r symbola ar y papur – er mor ddienaid ydyn nhw – yn troi'n llefydd go iawn ac yn codi oddi ar y bwrdd i greu byd o 'nghwmpas i. Mi fyddwn i hyd yn oed yn clywed y syna, gwich sgrech y coed fel llafn yn torri rhisgl a sguthan yn canu grwndi'n felys ar fora braf. Weithia mi fyddai 'na sŵn pobl.

Dyna pam fod y misoedd d'wytha 'ma wedi bod yn gymint o sgytwad. Go drapia'r peth; mae o'n fy nrysu fi'n lân, ond na feiddia i ddim sôn wrth neb rhag ofn iddyn nhw feddwl fy mod i'n colli 'ngafal. Dyna o'n inna'n ei ama ar y dechra hefyd ond ma 'na fwy iddi na hynny, llawar mwy.

Mi fydda dagra yn fy llygid i reit amal wrth daro ar ryw le neu lecyn. Am eu bod nhw'n deffro rhyw atgofion neu deimlad a'r rheiny weithia yn hollol annelwig, ond yr un mor fyw er hynny. Weithia doedd dim ond angan gweld enw a theimlo'i sŵn o ar dafod y cof. Mi fydda'r dagra'n dod radag honno hefyd, fel haenan o agar dros ffenast. Ond nid dyna sy'n fy nallu fi bellach.

Dim ond yn ddiweddar y dechreuodd petha fynd o chwith, a finna'n rhyw ama mai'r hen olwg oedd yn bygwth methu. Rhwbath i'w ddisgwl reit siŵr. A finna'n trio peidio cymryd sylw, na chyfadda i fi fy hun fod un dim o'i le. Ac, eto, mi fedra i weld popath yn yr hen dŷ yma – ma fisitors yn synnu fy ngweld i cystal ac mi fedra i edrach trwy'r ffenast fach a gweld y tai newydd ar ochr arall y dyffryn.

Dyna pam y dechreuis ama fod rhwbath mwy ar waith, rhwbath na fedrwn i mo'i esbonio. Yn lle plesar ac edrach ymlaen wrth godi o'r hen gadair 'ma i fynd am y dresal, mi ddaeth 'na ofn. Mi ddechreuis gydio yn handlan y ddrôr fel tasa hi'n farwor byw ac, eto, rhwsut, fel dyn yn mynd am gyffur, fedrwn i ddim peidio. Lawar gwaith, mi fûm i yno am hydoedd a'r hen law 'ma'n crynu. Oedd ei symudiad hi yn union fel y cudyll coch y byddwn i'n ei weld dan Glogwyn Henbant a'i adenydd o'n siglo mor gyflym fel mai synhwyro'r symudiad oeddwn i, nid ei weld. Ond ofn oedd fy nghryndod i, er 'mod i'n gwybod fod rhaid mentro.

Sgin i ddim co'n union pryd y dechreuodd y diffyg,

chwaith; wnes i ddim nodyn o'r peth yn yr hen lyfr cownt na chymryd gormod o sylw am y dwrnod neu ddau cynta, dim ond rhoi'r bai ar y gola neu gymryd fod yr haul trwy'r ffenast fach yn taro'n chwithig ar draws y papur. Ond o ddwrnod i ddwrnod, o wsos i wsos, mi ddechreuis i feddwl fod 'na rwbath cythreulig ar waith. A dyna ydi'r gair. Fydda i ddim yn defnyddio petha fel'na'n ysgafn – hen ffasiwn eto siŵr o fod – ond sut arall ma esbonio'r peth? Enwa'r mynyddoedd aeth gynta. Agor y map, a smwddio tros y rhycha a chwilio am y llythrenna cyfarwydd. Bron nad o'n i ddim yn darllan y geiria erbyn hynny; roedd y cwbwl mor gyfarwydd. Awgrym oedd y llythrenna, proc i'r hen go', dyna i gyd; gweld eu siâp nhw, a gwbod be oedd pob enw. Y dwrnod cynta, chwilio am Cefn Coch yr o'n i a methu'n lân â'i weld o. A finna wedi bwriadu gweld rhyw gylfinir neu ddwy a chlywad sŵn eu hiraeth nhw ar y gwynt. Rhyfadd ydi'r ffordd y ma'r synhwyra'n cymysgu; mi fyddwn i wastad yn gweld eu cri nhw fel rhaff hir, hir yn cael ei daflu tros ymyl dibyn i rywun mewn trybini.

Y Foel Arw oedd nesa, y dwrnod wedyn. Oedd y llinellau oren yno o hyd, yn dynn at ei gilydd lle'r oedd y llethrau ucha'n cipio'ch gwynt chi, ac roedd y symbol trionglog yn dal yno lle mae'r peth mesur 'nw ar y copa. Ond fedrwn i ddim yn lân â gweld yr enw. Nid 'mod i angan yr enw, siŵr iawn, ond yno y dylia fo fod.

Mi aeth enwau'r Graig Lefn a Chribor a'r gweddill wedyn, o ddwrnod i ddwrnod, nes 'mod i yn y diwadd yn ymbalfalu tros y papur fel dyn dall. Panic oedd o, am wn i, fel tasa colli'r enw yn golygu colli'r peth a finna'n poeni y baswn i, o dipyn i beth, yn colli nabod ar p'run oedd p'run ac yn colli fy llwybra trwy'r eithin a'r clympia grug.

Erbyn hynny, wrth reswm, mi ro'n i'n gwbod yn iawn fod mwy na fy llygid i ar fai. Roedd enwa'r llethra a'r ffriddoedd wedi dechra diflannu fesul un ac un ac wedyn fesul dau a dau. Diflannu, mynd, a dim byd ar y map i ddangos ble buon nhw. Mi fasa'r hen bobl wedi rhoi'r bai ar y tylwyth teg, ond tydw i ddim yn credu yn y rheiny.

Mi fyddwn i'n mynd i'r drôr, yn teimlo'r map yn ei le yn y gornal bella a'i dynnu fo allan, yn dyner, yn union fel arfar. Ei handlo fo'n ofalus, fel taswn i'n ofni fod yr enwa am ddisgyn allan. Troi a throi cam at y bwrdd, a'i agor o, fel pob dwrnod arall, i fyny i ddechrau, allan i'r chwith wedyn ac, yn ola, ei festyn o i'w faint tros yr oelcloth.

Ond, waeth pa mor ofalus o'n i, roedd yr enwa'n dal i ddiflannu. Mi fyddwn i'n oedi'n hirach a hirach cyn agor yr hen beth ond yn dal i fethu peidio. Ymhen ychydig, wrth gwrs, mi ddigwyddodd yr hyn yr o'n i'n ei ofni. Mi ddechreuodd y llinella a'r symbola bylu hefyd. O ddydd i ddydd, oedd y cylchoedd oren yn llai a llai amlwg, fel y cryndod bach ar ôl taflu carrag yn marw ar wynab pwll, neu rychau'r tonnau mewn tywod yn cael eu gwastatáu gin y gwynt. Mi fyddwn i'n mynd â fy mysadd trostyn nhw, ond cilio yr oeddan nhw o ddydd i ddydd.

Tydw i ddim yn credu mewn ysbrydion a phetha felly chwaith. Ma 'na ryw esboniad trostyn nhw reit siŵr, yn union fel yr oedd hen chwedla'n cynnwys rhyw hen hen wirionadd. Fel yr hen bobl yn deud am Lyn Crawia nad oedd neb wedi gweld ei waelod o a'i fod o'n llyncu plant bach. Ffordd giwt o'n cadw ni draw, dyna i gyd, a'r stori'n well na rhybudd. A'r hen chwedl honno oedd gin Mam am y ferch a'r bedol haearn... rhyw hen, hen go' wedi'i gadw mewn costral o eiria.

Ond mae Llyn Crawia wedi mynd erbyn heddiw; oddi

ar y map. A Tyddyn Llethr hefyd. Mi deimlis i chwithdod mawr pan welis i fwlch lle'r oedd hwnnw.

Erbyn hyn, nid chwilio am yr enwa sydd yno fydda i, ond am y rhai sydd wedi diflannu. Bob bora mi fydda i'n agor y map gan wbod y bydd rhagor wedi mynd. I le dwn i ddim. Mi fuis i'n ddigon gwirion un bora i roi fy llaw ym mhen pella'r drôr i neud yn siŵr nad oedd y llythrenna'n un pentwr yn fanno, wedi casglu fel llwch yn y gongol.

Taswn i'n credu yn y petha arallfydol 'ma, mi faswn i'n taeru fod 'na felltith ar y tŷ, neu ama i fy hun. Dw i wedi trio meddwl yn ôl i gofio be wnes i o'i le; be oedd yn ddigon drwg i haeddu cael fy mhoeni fel'ma. Mi fydda 'na straeon am betha felly hefyd, am anifeiliaid yn diflannu, neu hyd yn oed blant, yn gosb ar berchnogion a rhieni. Rheiny fydda Mam yn eu hadrodd wrth y tân erstalwm – na! teulu bach Nant Oer – a finna'n hannar coelio hannar chwerthin ac yn aros yn effro'r nos. Dw i'n trio peidio meddwl mai rhwbath felly sy'n digwydd a finna wedi trio byw yn reit agos at fy lle.

Mynd yn arafach y bydd y clytia coed, a'r pylla bach sydd fel llygid, a'r llunia brwyn sy'n dangos lle mae'r corsydd a'r siglenni a'r mawnogydd. Cilio fyddan nhw, mewn gwirionadd, yr inc fel tasa fo'n mynd yn wannach a gwannach, fel rhywun yn cerdded tros drum yn y pelltar a mynd yn llai a llai.

Amball dro, mae un o'r cymdogion wedi dod i mewn a finna yn fy mhlyg tros y map. Trio'i guddio fo fydda i wedyn a chymryd arna nad oes dim byd o'i le. Dw i ddim yn meddwl eu bod nhw wedi fy ngweld i yn fy nryswch a, beth bynnag, ma'r hen ffrindia wedi arfar gweld y ddalan fawr yn gorad ar y bwrdd. Does 'na neb wedi deud dim am yr enwa, ond falla na wnaethon nhw ddim sbio'n iawn, dim ond taro cip heb weld, fel y byddwch chi efo petha cyfarwydd.

Y ddynas drws nesa ydi'r unig un yr ydw i'n sicr ei bod hi wedi gweld. Chwara teg, peth fach ddiarth ydi hi, wedi symud yno ryw flwyddyn neu ddwy yn ôl bellach, ond ma hi'n galw yma ryw ben bob wsos i weld a ydw i'n iawn. Mi ddaeth hi fewn y dwrnod o'r blaen a finna'n mynd trw fy mhetha ac mi edrychodd hi'n syth ar y map; fedra hi ddim peidio â gweld. Ond un feddylgar ydi hi, chwara teg, a chymrodd hi ddim arni o gwbl ei bod hi'n sylwi fod ei hannar o'n wag.

Dw i wedi meddwl tynnu sylw un neu ddau o'r teulu, ond chwerthin fysan nhw. Saff i chi. Ac ma meddwl am drafod yr hen beth a gorfod chwilio am atab i'r benblath yn dechra f'anniddigo fi trwydda. Dw i fel taswn i ar biga'r drain o fora gwyn tan nos. Roedd y map yn y dresal yn bwysig cynt, ond mae o ganwaith pwysicach bellach.

Oedd colli'r Ffridd Isa yn waeth na dim. Ma 'na amball i le sy'n arbennig. Mi fuodd bron i mi roi'r gora iddi ar ôl hynny, ond mynd yn ôl wnes i'r bora wedyn, ar fy ngwaetha, fel erioed. A gweld fod yr Allt wedi mynd, a'r Odyn a Rhos Bach. Yn y diwadd, o un llecyn i'r llall toes yna ddim ar ôl ond y papur. Mae'r aflwydd bron â chyrradd y pentra erbyn hyn. Mi fydda i'n rhoi'r gora i edrach radag honno. Pan fydd o bron â chyrradd y tŷ 'ma.

Ella y dyliwn i losgi'r map cyn hynny, beth bynnag, rhag i'r felltith fyw ar fy ôl i. Faswn i ddim isio i neb arall ddiodda.

Darnau, Gwasg Gwynedd